1580242642

中华人民共和国国家标准

毛纺织工厂设计规范

Code for design of wool textile factory

GB 51052-2014

主编部门：中 国 纺 织 工 业 联 合 会
批准部门：中华人民共和国住房和城乡建设部
施行日期：2 0 1 5 年 8 月 1 日

中国计划出版社

2014 北　京

中华人民共和国国家标准
毛纺织工厂设计规范
GB 51052-2014

☆

中国计划出版社出版
网址：www.jhpress.com
地址：北京市西城区木樨地北里甲11号国宏大厦C座3层
邮政编码：100038 电话：(010) 63906433（发行部）
新华书店北京发行所发行
北京市科星印刷有限责任公司印刷

850mm×1168mm 1/32 3.5印张 87千字
2015年5月第1版 2015年5月第1次印刷
☆
统一书号：1580242・642
定价：21.00元

版权所有 侵权必究

侵权举报电话：(010) 63906404
如有印装质量问题，请寄本社出版部调换

中华人民共和国住房和城乡建设部公告

第592号

住房城乡建设部关于发布国家标准 《毛纺织工厂设计规范》的公告

现批准《毛纺织工厂设计规范》为国家标准，编号为 GB 51052—2014，自2015年8月1日起实施。其中，第5.4.4、6.2.2(3)、6.4.2(2)、6.7.5、7.5.4条（款）为强制性条文，必须严格执行。

本规范由我部标准定额研究所组织中国计划出版社出版发行。

中华人民共和国住房和城乡建设部
2014年12月2日

前　言

本规范是根据住房城乡建设部《关于印发〈2011年工程建设标准规范制订、修订计划〉的通知》（建标〔2011〕17号）的要求，由中国纺织工业联合会和江苏省纺织工业设计研究院有限公司会同有关单位共同编制完成的。

本规范在编制过程中，编制组根据我国毛纺织行业发展现状和行业持续发展的需要，结合毛纺织生产过程的特点，认真总结了我国最近二十年来建设毛纺织工厂的实践经验，吸收了国内毛纺织生产技术的科技成果，广泛征求了有关毛纺织工厂生产、设计、施工等有关专家的意见，经反复讨论、修改，最后经审查定稿。

本规范共分11章和5个附录，主要内容包括：总则，术语，工艺设计，总图布置，建筑结构，给水、排水，采暖通风和空调滤尘，电气，动力，仓储，职业安全卫生等。

本规范中以黑体字标志的条文为强制性条文，必须严格执行。

本规范由住房城乡建设部负责管理和对强制性条文的解释，由中国纺织工业联合会负责日常管理工作，由江苏省纺织工业设计研究院有限公司负责具体技术内容的解释。本规范在实施过程中如发现有需要修订和补充之处，请将意见或建议寄送江苏省纺织工业设计研究院有限公司总师室（地址：江苏省南京市玄武区进香河路31-5号，邮政编码：210008，E-mail：jstd777@126.com），以便今后修订时参考。

本规范主编单位、参编单位、参加单位、主要起草人和主要审查人：

主 编 单 位：中国纺织工业联合会
江苏省纺织工业设计研究院有限公司

参 编 单 位：中国纺织勘察设计协会
上海纺织建筑设计研究院
中国纺织工业设计院
陕西省现代建筑设计研究院
参 加 单 位：宁波雅戈尔毛纺织染整有限公司
主要起草人：陈达俊　邓　军　王朝蕾　赵高频　王紫琴
张　杰　陈　昱　张建伟　陈云霄　周　强
林祥程　刘承彬　荆朝晖　赵建生　厚炳煦
徐丽琴　袁依表　秦德兵　宋庆云　李大川
陈洪刚　柳仁南　江雪芳　蔡依群
主要审查人：王耀荣　彭粲云　窦本良　赵燕淑　李熊兆
蒋震华　戴晓培　陈庆丰　饶胤礼

目　次

1 总　则 …………………………………………………（1）
2 术　语 …………………………………………………（2）
3 工艺设计 ………………………………………………（5）
  3.1 一般规定 ……………………………………………（5）
  3.2 工艺流程 ……………………………………………（5）
  3.3 设备选用 ……………………………………………（6）
  3.4 生产车间布置和设备排列 …………………………（6）
  3.5 工艺要求 ……………………………………………（7）
  3.6 辅助生产设施 ………………………………………（8）
  3.7 车间运输 ……………………………………………（9）
4 总图布置 ………………………………………………（10）
  4.1 一般规定 ……………………………………………（10）
  4.2 总平面布置 …………………………………………（10）
  4.3 竖向设计 ……………………………………………（11）
  4.4 综合管线 ……………………………………………（11）
  4.5 厂区道路 ……………………………………………（12）
  4.6 绿化 …………………………………………………（12）
  4.7 总图技术经济指标 …………………………………（13）
5 建筑结构 ………………………………………………（14）
  5.1 一般规定 ……………………………………………（14）
  5.2 生产厂房 ……………………………………………（14）
  5.3 辅助用房 ……………………………………………（15）
  5.4 建筑防火、防爆 ……………………………………（16）
  5.5 结构型式和构造 ……………………………………（16）

6 给水、排水 …… （19）
6.1 一般规定 …… （19）
6.2 水源与水处理 …… （19）
6.3 水量、水质、水压 …… （20）
6.4 给水系统和管道敷设 …… （21）
6.5 消防给水系统 …… （22）
6.6 排水系统和管道敷设 …… （22）
6.7 废水预处理与回用 …… （23）

7 采暖通风和空调滤尘 …… （25）
7.1 一般规定 …… （25）
7.2 采暖 …… （25）
7.3 通风 …… （26）
7.4 空气调节 …… （27）
7.5 滤尘 …… （29）

8 电 气 …… （31）
8.1 一般规定 …… （31）
8.2 负荷分级 …… （31）
8.3 供配电 …… （31）
8.4 照明 …… （32）
8.5 火灾自动报警系统 …… （34）
8.6 防雷与接地 …… （34）
8.7 无功补偿与谐波治理 …… （34）

9 动 力 …… （36）
9.1 一般规定 …… （36）
9.2 蒸汽供热系统 …… （36）
9.3 蒸汽凝结水回收和利用 …… （36）
9.4 导热油供热系统 …… （37）
9.5 燃气 …… （37）
9.6 压缩空气 …… （37）

9.7	制冷	(38)
9.8	管道敷设	(38)
10	仓　　储	(39)
10.1	一般规定	(39)
10.2	原料库、成品库	(39)
10.3	染化料库及助剂的储存	(40)
10.4	危险品库	(40)
10.5	机物料、机配件库	(40)
10.6	其他仓库	(40)
11	职业安全卫生	(41)
附录 A	工艺流程	(43)
附录 B	主要工艺参数	(45)
附录 C	主要设备排列间距	(50)
附录 D	车间温湿度参数	(55)
附录 E	试验室仪器设备	(57)
本规范用词说明		(59)
引用标准名录		(60)
附:条文说明		(63)

Contents

1 General provisions .... (1)
2 Terms .... (2)
3 process design .... (5)
   3.1 General requirements .... (5)
   3.2 Process flow .... (5)
   3.3 Selection of equipment .... (6)
   3.4 Layout of production workshop and
       arrangement of equipment .... (6)
   3.5 Process requirements .... (7)
   3.6 Auxiliary production facilities .... (8)
   3.7 Workshop transportation .... (9)
4 General layout .... (10)
   4.1 General requirements .... (10)
   4.2 General layout .... (10)
   4.3 Vertical design .... (11)
   4.4 Integrated pipeline .... (11)
   4.5 Plant road .... (12)
   4.6 Greening .... (12)
   4.7 Technical and economic index of general plan .... (13)
5 Architecture and structure .... (14)
   5.1 General requirements .... (14)
   5.2 Production building .... (14)
   5.3 Auxiliary building .... (15)
   5.4 Building fire and explosion prevention .... (16)

	5.5	Structural type and structure	(16)
6	Water supply, drainage		(19)
	6.1	General requirements	(19)
	6.2	Water source and treatment	(19)
	6.3	Water quantity, water quality, water pressure	(20)
	6.4	Water supply system and pipeline arrangement	(21)
	6.5	Fire water supply system	(22)
	6.6	Drainage system and pipeline arrangement	(22)
	6.7	Pretreatment and recycling of waste water	(23)
7	Heating, ventilation, air conditioning and dust filtration		(25)
	7.1	General requirements	(25)
	7.2	Heating	(25)
	7.3	Ventilation	(26)
	7.4	Air conditioning	(27)
	7.5	Dust filtration	(29)
8	Electricity		(31)
	8.1	General requirements	(31)
	8.2	Load classification	(31)
	8.3	Power supply and distribution	(31)
	8.4	Lighting	(32)
	8.5	Automatic fire alarm system	(34)
	8.6	Lightning protection and earthing	(34)
	8.7	Static var compensator and harmonic control	(34)
9	Power		(36)
	9.1	General requirements	(36)
	9.2	Steam heating system	(36)
	9.3	Recovery and utilization of steam condensate water	(36)
	9.4	Heat conducting oil heating system	(37)

9.5	Gas	(37)
9.6	Compressed air	(37)
9.7	Refrigeration	(38)
9.8	Pipe laying	(38)
10	Storage	(39)
10.1	General requirements	(39)
10.2	Raw material storage and finished-parts storage	(39)
10.3	Warehouse for dyes and assistant	(40)
10.4	Warehouse for dangerous goods	(40)
10.5	Warehouse for machine parts	(40)
10.6	Warehouse for other goods	(40)
11	Occupation safety and health	(41)
Appendix A	Techological process	(43)
Appendix B	Main technological parameter	(45)
Appendix C	Arrangement spacing of main equipment	(50)
Appendix D	Workshop temperature and humidity parameters	(55)
Appendix E	Laboratory instrument equipment	(57)
Explanation of wording in this code		(59)
List of quoted standards		(60)
Addition: Explanation of provisions		(63)

1 总 则

1.0.1 为提高毛纺织工厂设计水平,做到技术先进、经济合理、安全可靠、节能环保、清洁生产,制定本规范。

1.0.2 本规范适用于新建、扩建和改建的羊毛、特种动物纤维等的纯纺及与其他纤维混纺的制条、纺纱、织造,以及染整工厂工程的设计。

1.0.3 毛纺织工厂设计,应采用清洁生产工艺和节能、环保、安全生产等技术措施,提高能源利用率和资源的综合利用,且应符合节能、环境影响、安全卫生等评估报告的要求。

1.0.4 毛纺织工厂设计方案应进行技术经济比较择优确定,宜采用经国家有关部门核准推广的新技术、新工艺、新设备和新材料。

1.0.5 分期建设的毛纺织工厂应根据建设规模和发展规划,且应贯彻统筹兼顾、远近期结合、以近期为主的原则。

1.0.6 毛纺织工厂设计应严格执行国家规定的相关行业准入条件,满足节能减排的要求。

1.0.7 毛纺织工厂设计除应符合本规范外,尚应符合国家现行有关标准的规定。

2 术 语

2.0.1 选毛 wool sorting
按工业用毛分级标准和产品需要对原毛进行拣选分级的工艺过程。

2.0.2 洗毛 wool scouring
用化学和机械的方法在水或洗涤液中去除原毛所含油脂、汗垢和尘杂的工艺过程。

2.0.3 炭化 carbonizing
将含植物性杂质洗净毛经浸酸、烘焙,使其中的植物性杂质脱水为易碎的炭质,再经机械搓碾、打击、利用风力将炭质与羊毛分离的工艺过程。

2.0.4 毛条制造 top making
把洗净毛加工成精梳毛条的工艺过程。

2.0.5 和毛 wool blending
对不同产地、品种和性能的羊毛或与其他纤维进行合理搭配、均匀混合和添加乳化油的工艺过程。

2.0.6 梳毛 wool carding
将羊毛混料经反复多次的开松梳理、清除各类杂质、充分混合各类原料使之均匀分布,同时使纤维初步伸直、平行排列并制成一定卷装的工艺过程。

2.0.7 针梳 gilling
以机械针板梳理作用将毛条内的纤维理直,使其平行排列并改善毛条均匀度的工艺过程。

2.0.8 复洗 back washing
将毛条充分浸湿、清洗浮色,然后在适当的拉伸张力下烘燥,通过热定型作用消除羊毛卷曲、稳定平伸度的工艺过程。

2.0.9 混条　sliver mixing

将不同颜色、不同性质的毛条,按一定的牵伸倍数和并合根数,制造出混合毛条的工艺过程。

2.0.10 精梳毛纺　worsted spinning

将洗净毛经过以精梳机为核心的多道针梳机加工的精梳制条,再经前纺的多道针梳机、粗纱机反复并合、牵伸、梳理形成粗纱,供细纱机制成毛纱的工艺过程。

2.0.11 粗梳毛纺　woollen spinning

将洗净毛经过粗纺梳毛机的多次开松、混合、梳理,割条、搓捻成粗纱后直接供细纱机制成毛纱的工艺过程。

2.0.12 复精梳　recombing

将已制成的纤维条充分混合后,再经过一次精梳的工艺过程。

2.0.13 条染　top dyeing

对羊毛毛条或其他纤维毛条进行毛球染色的工艺过程。

2.0.14 煮呢　crabbing

毛织物在张力下以平幅状态通过热水处理,以消除呢坯在织造、洗呢、染色等加工中产生的不均匀张力,改善毛织物外观和手感、稳定尺寸、增强弹性的定型加工过程。

2.0.15 缩呢　fulling

在湿热条件和机械作用下,利用羊毛的缩绒性使织物收缩、厚度增加,表面露出一层绒毛来遮盖织物组织,以增加织物美观性,并获得丰满、柔软的手感的加工过程。

2.0.16 刺果起毛　teaseling

利用野生植物刺果的钩刺将毛织物表面均匀地挑出一层绒毛覆盖在表面,使毛织物松厚柔软、保暖性增强、织纹隐蔽的加工过程。

2.0.17 剪毛　shearing

用剪毛机剪短或者剪去织物表面不需要的茸毛的工艺。

2.0.18 蒸呢　decating

为稳定毛织物的尺寸、降低缩水率,使呢面平整、手感柔软、富有弹性、光泽自然,在张力和压力条件下对呢匹进行的蒸汽定型的加工过程。

2.0.19 罐蒸　can decatizing

将呢匹打卷后送进高温高压的汽蒸罐中进行的作用较强烈的蒸呢过程。

2.0.20 整理　finishing

为改善毛纺织制品外观质量、手感和服用性能的加工处理过程。

3 工艺设计

3.1 一般规定

3.1.1 毛条厂工艺设计应包括选毛、洗毛和制条及其生产辅助设施设计；精梳毛纺织厂工艺设计应包括条染、复精梳、纺纱、织造、染整及其生产辅助设施设计；粗梳毛纺织厂工艺设计应包括选毛、洗毛、炭化、散毛染色、和毛、梳毛、纺纱、织造、染整及其生产辅助设施设计。

3.1.2 毛纺织工厂的生产类型应根据加工产品使用的原料和产品特征确定。

3.1.3 工艺设计和主机设备应能生产高质量和高附加值的产品，并应符合工艺技术先进、设备性能可靠、适应性强，以及高效、节能的要求。

3.1.4 车间布置除应满足工艺生产的要求，还应满足土建、电气、暖通、空调、动力、给排水，以及其他辅助设施设计的经济合理性的要求，同时应符合消防、环保、节能、安全生产的要求。

3.1.5 公用工程的品质、容量及辅助设施配置应满足工艺生产要求。

3.2 工艺流程

3.2.1 工艺流程应根据加工产品的特征和规格确定。

3.2.2 选毛、洗毛及毛条制造生产工艺流程，可按本规范第 A.0.1 条确定。

3.2.3 精梳毛纺制品的条染复精梳、纺纱、织造、染整生产工艺流程，可按本规范第 A.0.2 条确定。

3.2.4 粗梳毛纺制品的选毛、洗毛、炭化、散毛染色、纺纱、织造、染整生产工艺流程，可按本规范第 A.0.3 条确定。

3.2.5 工艺流程可根据产品要求调整。

3.3 设备选用

3.3.1 设备宜选用标准化、通用化、系列化设备,并应符合下列要求:

　　1 设备应满足技术成熟的要求,并应适应多品种、小批量生产的要求;

　　2 设备应满足加工产品的技术要求,并应具有互换互补性;

　　3 设备应具有易调节、噪声低、动力消耗少、易于维修保养的特点;

　　4 采用冷却水及有冷凝水排放的设备,应配置冷却水、冷凝水回收利用装置。

3.3.2 间歇式染色设备的选择应满足印染行业准入条件的要求。

3.3.3 后整理宜采用高效、节能、低耗的连续式设备。

3.3.4 设备配台应保证前后工序的产能平衡。

3.3.5 精纺条染和匹染设备、粗纺散毛染色和匹染设备的总加工能力,宜为生产总需要量的130%～160%。

3.3.6 设备配台计算应符合下列要求:

　　1 前纺、后纺、准备、织造、复精梳、染色和后整理各工序设备配台数的计算,应根据总产量,以及织物规格及细纱机的实际产量和台数确定;

　　2 主机设备的工艺速度应根据使用原料性质、产品品种和所选用的设备确定;

　　3 应依据各工序制成率、运转率、生产效率等参数,配置设备台数;

　　4 主要工艺参数可按本规范附录B选用。

3.4 生产车间布置和设备排列

3.4.1 车间布置应结合厂区总平面布置,车间的原料入口宜靠近原料库,车间的成品出口宜靠近成品库。

3.4.2 各车间的相互位置应保证主要品种的工艺路线合理,半成品和成品的运输路线应便捷,并应避免半制品运输迂回、交叉和逆流。

3.4.3 温湿度要求不同的生产车间和工序,个别散热、散湿和尘土飞毛较大的机台应分开或隔开布置。

3.4.4 车间面积及厂房长度、宽度、高度应合理确定,车间布置应符合现行国家标准《纺织工程设计防火规范》GB 50565 的有关规定。

3.4.5 水、蒸汽用量较多的车间应集中布置,废水排放量大的车间宜靠近污水处理系统。

3.4.6 当采用多层厂房时,织布机、梳毛机、洗呢机、煮呢机、染色机、复洗机等设备宜布置在底层。

3.4.7 生产附房宜靠近其服务的车间或机台,并宜布置在主厂房的周边。

3.4.8 生产车间门的位置和尺寸应满足生产管理、产品运输、设备安装及人员疏散的要求,车间外门应采取避免室外气流影响车间温湿度及机台正常运行的措施。

3.4.9 设备布置和排列应符合下列要求:

    1 向外排热湿气体的设备宜靠近车间外墙布置;

    2 设备排列应满足操作方便、运输通畅、排列整齐及采光的要求;

    3 应留有辅助作业和摆放半成品、辅助材料的场地;

    4 设备排列间距可按本规范附录 C 确定。

3.5 工艺要求

3.5.1 工艺用水应符合下列要求:

    1 从白毛条到成品精梳毛织物的新鲜水用量不应大于 $18m^3$/百米,粗梳毛织物的新鲜水用量应为精梳毛织物的 1.15

倍。从原毛到洗净毛的新鲜水用量不应大于25m³/t；

 2 进设备的给水压力不宜低于0.20MPa；

 3 生产用水水质应符合表3.5.1的要求。

表3.5.1 生产用水水质要求

项　　目	单　　位	指　标
浑浊度	度(NTU)	≤5
pH值	—	6.5～8.0
色度	倍	≤15
硬度(生产用软化水，以$CaCO_3$计)	mg/L	≤100
铁	mg/L	≤0.1
锰	mg/L	≤0.1

3.5.2 毛纺织厂工艺用蒸汽应符合表3.5.2的要求。

表3.5.2 毛纺织厂工艺用蒸汽要求

机 器 名 称	蒸汽种类	蒸汽压力(MPa)
高温高压染色机、洗毛机、烘毛机、洗呢机、煮呢机、染呢机、复洗机、罐蒸机、烘呢机、蒸纱机、蒸呢机	饱和	0.4～0.6
蒸刷机、压光机	饱和	0.2～0.4

注：1　表中蒸汽压力均为表压。
  2　蒸汽压力、温度可根据设备要求调整。

3.5.3 精纺和粗纺厂车间的温湿度要求可按本规范附录D确定。

3.5.4 进机台的压缩空气压力宜为0.5MPa～0.7MPa。

3.5.5 生产加工过程中烧毛、热定型需要的高温热源，应根据建设地区可供热源选择。

3.6 辅助生产设施

3.6.1 毛条制造、精纺、粗纺可设置下列辅助生产用房：

 1 原毛预热室、打土室、和毛油调配室、梳毛磨针室、真空泵房；

 2 皮辊室、磨刀室、刺果装排室、筘室、理综室、染料助剂贮存室、染化料调配室；

 3 记录室、机物料室、保全保养室、空压机室、空调室、变配电室等。

3.6.2 毛纺织工厂应设置车间试验室及厂部中心试验室，并应配置相应的仪器设备。厂部中心试验室应设置恒温恒湿室，并宜根据试验需要设置相应数量的房间。厂部中心试验室仪器设备可按本规范附录 E 确定。

3.7 车间运输

3.7.1 车间内的运输工具应根据生产需要选择，部分车间可采用自动运输。

3.7.2 散毛染色、毛条染色半制品的运输，可采用悬挂吊车方式，吊车规格应根据相关设备参数确定。

3.7.3 和毛机与毛仓、毛仓与梳毛仓之间以及洗毛车间洗净毛的运输，宜采用气流管道输送。

3.7.4 多层厂房宜设置客货两用电梯，载重量宜大于 2t，数量不宜少于 2 台。

3.7.5 各车间周转处宜设置地磅或磅秤，车间通道应满足车辆通行和转弯的要求。

4 总图布置

4.1 一般规定

4.1.1 总图设计应根据工厂的生产流程、各组成部分的生产特点,在满足各项技术要求的基础上,综合节地、节能、节材、节水及环保、防火、安全卫生等因素确定经济合理的设计方案。

4.1.2 总图设计应符合城镇总体规划的要求,并应做好与邻近工业企业在交通运输、动力设施、综合利用和生活设施等方面的协作。

4.1.3 给排水、供电、供热、道路、消防、环境卫生等厂外配套设施,应结合建厂地区条件,并与相关部门协调后确定方案。

4.1.4 厂址位于湿陷性黄土地区时,除应符合本规范的规定外,还应符合现行国家标准《湿陷性黄土地区建筑规范》GB 50025 的有关规定。

4.1.5 总图设计除应符合本规范的规定外,还应符合现行国家标准《工业企业总平面设计规范》GB 50187 的有关规定。

4.2 总平面布置

4.2.1 总平面布置应符合生产工艺流程的要求,并应根据各类生产车间和辅助设施的生产特点,结合当地自然条件,确定厂区建(构)筑物、露天堆场、道路、工程管线、绿化等设施的平面及竖向关系。

4.2.2 厂区宜进行合理的功能分区,生产主厂房应布置在地形、地质条件较好的地段,生产联系密切的车间宜紧邻布置,车间内的附属设施应邻近其服务车间,动力供应设施宜靠近生产负荷中心,锅炉房、产生污染源的车间及场所或全厂性废水处理设施等,应位于厂区、生活区全年最小频率风向的上风侧。

4.2.3 厂前区行政办公及生活设施宜集中布置。

4.2.4 厂区内的生产流程组织应合理,人流与货流宜分离,原料及成品的运输路线应便捷。

4.2.5 厂区布置为阶梯式时,相互间运输量大的车间宜布置在同一台阶上。

4.3 竖向设计

4.3.1 竖向设计应与总平面布置同时进行,并应根据厂址自然地形、地质条件、生产工艺、运输方式、防洪、排水、管线敷设及土石方量平衡等因素,进行综合比较后确定各建(构)筑物、道路及场地标高。

4.3.2 厂区内竖向设计宜采用平坡式,在地形复杂地段也可采用阶梯式。

4.3.3 厂区内的标高应与厂区外的场地标高相协调,应避免被洪水、潮水及内涝水淹没。不能满足要求时,应采取防涝、排涝措施,并应符合现行国家标准《防洪标准》GB 50201 的有关规定。

4.3.4 厂区出入口的路面标高宜高出厂区外的路面标高。主要建筑物的室内地坪标高应高出室外场地设计标高 0.15m～0.30m。

4.4 综合管线

4.4.1 管线敷设方式应根据工艺要求、管线内介质性质、地形地质、生产安全、交通运输、施工检修等因素,经技术经济比较后择优确定。

4.4.2 管线综合布置应与工厂总平面布置、竖向设计和绿化布置统一进行。各管线之间、管线与建(构)筑物之间在平面及竖向上应相互协调、紧凑合理。

4.4.3 管线综合布置应便捷,并应减少交叉。干管应布置在负荷较多的一侧或将管线分类布置在道路两侧。

4.4.4 地下管线管沟不得布置在建(构)筑物的基础压力影响范围内。

4.4.5 管线综合布置应符合现行国家标准《工业企业总平面设计规范》GB 50187 的有关规定。

4.5 厂区道路

4.5.1 厂内道路布置应与厂外道路衔接方便,并应满足生产工艺、交通运输、安装检修、管线布置、消防及环境卫生等要求。

4.5.2 厂内道路宜与主要建筑物的外墙平行。主厂房周围宜设环形车道,当设置尽端式道路时,应设回车场、道,型式及各部尺寸应按通过的车型确定。

4.5.3 有货车进出的库房前场地应留有车辆停放和车辆回转用地。

4.5.4 厂区道路宜采用城市型道路,道路路面宽度应根据车辆通行和人行需要确定,并应符合现行国家标准《厂矿道路设计规范》GBJ 22 的有关规定。

4.5.5 厂区道路路面标高的确定应与厂区竖向设计相协调,并应满足室外场地及道路的雨水排放要求。

4.5.6 厂区出入口的设置不应少于2个,并宜位于不同方向,位于同一方向时,2个出入口的间距不宜小于50m。

4.6 绿 化

4.6.1 厂区绿化应满足项目所在地的规划要求,并应根据工厂特点安排绿化用地。

4.6.2 绿化树种应结合当地自然条件、植物生态习性、抗污性能和苗木来源,按环境保护、工业卫生、厂容景观等要求选择与布置。

4.6.3 厂内道路弯道及交叉口附近的绿化设置,应符合行车视距的有关规定。

4.6.4 厂前区和主要出入口的绿化布置,应具有观赏及美化效果。

4.6.5 树木与建(构)筑物及地下管线的最小间距及绿化布置,应符合现行国家标准《工业企业总平面设计规范》GB 50187 和《纺织工业企业环境保护设计规范》GB 50425 的有关规定。

4.7 总图技术经济指标

4.7.1 总平面图宜列出下列主要技术经济指标:
1 厂区用地面积(hm^2);
2 建筑物、构筑物用地面积(m^2);
3 建筑系数(%);
4 容积率;
5 铁路长度(km);
6 道路及广场用地面积(m^2);
7 绿化用地面积(m^2);
8 绿地率(%);
9 土石方工程量(m^3);
10 投资强度(万元/hm^2);
11 行政办公及生活服务设施用地面积(hm^2);
12 行政办公及生活服务设施用地所占比重(%)。

4.7.2 总图技术经济指标计算方法应符合现行国家标准《工业企业总平面设计规范》GB 50187 和《建筑工程建筑面积计算规范》GB/T 50353 等的有关规定。

5 建筑结构

5.1 一般规定

5.1.1 建筑、结构设计应满足生产工艺的要求,并应满足采光、通风、保温、防水、隔热、防结露、防腐蚀等要求。

5.1.2 建筑物的防火和防爆设计,应符合现行国家标准《纺织工程设计防火规范》GB 50565 的有关规定。

5.1.3 建筑、结构设计应采用成熟可靠的新形式、新材料和新技术。

5.1.4 地震区的建筑应选用规则体型,并应符合现行国家标准《建筑抗震设计规范》GB 50011 的有关规定。

5.2 生产厂房

5.2.1 生产厂房的建筑、结构形式应根据当地建设条件和其他各种因素,经技术经济比较后确定,可选用单层、多层、气楼式厂房,无窗厂房或其他形式的厂房。非全空调的生产车间应采用自然通风和排气效果良好的建筑形式。

5.2.2 厂房建筑平面和内部空间应满足工艺布置、采光、照明、通风换气等要求,并应满足设备安装操作和相关公用工程设施布置的要求。

5.2.3 厂房围护结构应根据建厂地区的气象条件确定,并应满足建筑物保温、隔热及防结露的要求。湿热车间应设置隔汽层。对单层轻钢结构厂房应加强建筑构造与节点的设计。

5.2.4 厂房的干加工车间地坪应采用耐磨、不起尘砂的面层;洗毛、炭化、条染、湿整等湿车间的地坪应采取防水排水措施;洗毛机、炭化机、洗呢机等设备周围及和毛油调配室地坪应采取防滑措施;纺纱车间的地沟应采取防水措施。

5.2.5 生产车间内有腐蚀性介质的洗毛、炭化、染色、湿整生产车间和染化料调配室、皮辊酸处理间、化验室地沟等的建筑构件表面,应采取建筑防腐蚀措施,且应符合现行国家标准《工业建筑防腐蚀设计规范》GB 50046 的有关规定。

5.2.6 有噪声的生产车间应符合现行国家标准《工业企业噪声控制设计规范》GB/T 50087 的有关规定。

5.3 辅助用房

5.3.1 生产附属用房宜与厂房紧邻布置。

5.3.2 试验室和检验室宜设置在车间南北侧辅房,成品检验间宜布置在厂房的北面,试验室宜设有恒温室、恒湿室,纺纱试验室宜设置在前、后纺车间的中间位置,化验室应安装排气装置及软水设施,拼毛打样室应在北侧采光,且应靠近染色车间。

5.3.3 原毛预热室、机物料室、染化料储存室等宜靠近厂房外墙布置。

5.3.4 空调室的位置宜靠近负荷中心,进风部位不宜与厕所及散发其他有害气体的房间相邻。空调喷淋水池不应跨越建筑物的变形缝。

5.3.5 空压站、制冷站的位置宜靠近负荷中心,建筑设计应符合现行国家标准《工业企业厂界环境噪声排放标准》GB 12348 的有关规定。

5.3.6 变配电室的位置宜靠近用电负荷较大的区域,可建在车间附房内,不应布置在浴室、厕所、水泵房及其他经常积水场所的正下方,且不宜与浴室、厕所、水泵房及其他经常积水场所相贴邻,受条件限制时,应采取防渗漏措施。变配电室不宜跨越建筑物的变形缝。

5.3.7 热力站宜靠近湿加工车间及热负荷中心。

5.3.8 仓库和车间内的辅房宜根据使用要求分别采取通风、防潮、隔热、易于清洁等措施。

5.3.9 羊毛包辐照室应设储源水井及通风系统,平面应为长方形,围护结构应有防辐射措施。

5.4 建筑防火、防爆

5.4.1 当不同火灾危险性的生产工序位于同一防火分区时,该分区的火灾危险性应符合现行国家标准《纺织工程设计防火规范》GB 50565的有关规定。生产厂房的建筑耐火等级不应低于二级。

5.4.2 支撑设备的钢结构,应符合现行国家标准《纺织工程设计防火规范》GB 50565的有关规定。

5.4.3 储存火灾危险性为甲、乙类油料,化学油剂的危险品库与其他建筑物之间的防火间距,应符合现行国家标准《纺织工程设计防火规范》GB 50565的有关规定。

5.4.4 气化室与相邻部位之间应采用防爆墙分隔,其耐火极限不应低于3.0h,隔墙上应设置甲级防火门,外墙应有泄压设施,且应采用不发生火花地面。

5.4.5 烧毛间应采用耐火极限不低于2.50h的不燃烧体隔墙与其他部分隔开。

5.5 结构型式和构造

5.5.1 结构设计应符合下列规定:

  1 结构设计应采用新材料、新技术,并应进行多方案比较确定;

  2 厂房平面布置及柱网尺寸应根据工艺设备排列及场地自然条件等综合确定;

  3 厂房高度除应满足采光与通风要求外,还应满足工艺设备高度、设备安装、检修和操作所需空间,以及设备、管道吊装的安全距离要求。

5.5.2 结构选型应符合下列规定:

1 洗毛、染色、湿整车间可采用带排气井或带气楼的钢筋混凝土结构型式。当采用防腐蚀、防火措施后,也可采用单层轻钢结构型式。

2 选毛、纺纱、织造和干整车间宜采用钢结构,也可采用单层或多层钢筋混凝土框架结构,以及单层钢筋混凝土框架柱钢屋面结构。

5.5.3 荷载取值应符合下列规定:

1 结构自重、施工和检修集中荷载、风荷载、屋面雪荷载和屋面活荷载,应符合现行国家标准《建筑结构荷载规范》GB 50009 的有关规定。

2 轻型房屋钢结构的风荷载标准值计算,应符合现行国家标准《钢结构设计规范》GB 50017 的有关规定。

3 多层厂房的楼面由设备及运输等产生的局部荷载,应按实际情况计算,也可采用等效均布活荷载代替。楼面等效均布活荷载的确定,应符合现行国家标准《建筑结构荷载规范》GB 50009 的有关规定。当差别较大时,应划分区域分别确定。

4 楼层活荷载按工艺设备排列确定时,应符合现行国家标准《建筑结构荷载规范》GB 50009 的有关规定。楼面等效均布活荷载应包括按设备实际荷载、生产运行中发生的堆载及产品重量折算的等效荷载和无设备区域的操作荷载之和,无设备区域的操作荷载可按 $2.0kN/m^2$ 取值。

5 吊挂荷载应按实际重量计算确定。

6 总风道底板活荷载可按 $1.5kN/m^2$ 取值。

7 沟道盖板的计算活荷载可按 $10kN/m^2$ 取值。当沟道盖板上直接作用有设备荷载或有运输工具通过时,应按实际荷载经计算确定。

5.5.4 抗震构造设计应符合下列规定:

1 单层门式轻钢架结构的抗震构造要求应符合现行国家标准《建筑抗震设计规范》GB 50011 和《钢结构设计规范》GB 50017

等的有关规定。

2 钢筋混凝土结构及单层钢筋混凝土框排架钢屋面结构的抗震构造要求，应符合现行国家标准《建筑抗震设计规范》GB 50011、《钢结构设计规范》GB 50017 和《混凝土结构设计规范》GB 50010 的有关规定。

3 附房宜采用框架结构，抗震措施应按现行国家标准《建筑抗震设计规范》GB 50011 的有关规定执行。当附房采用砌体结构并设有总风道时，总风道的抗震措施应符合现行国家标准《建筑抗震设计规范》GB 50011、《构筑物抗震设计规范》GB 50191 和《砌体结构设计规范》GB 50003 的有关规定。

5.5.5 抗震构造措施应符合下列规定：

1 钢结构厂房的围护墙，当抗震设防烈度不高于 7 度时，可采用轻型钢墙板，也可采用与柱柔性连接的砌体或底部为砌体、上部为轻型钢墙板；当抗震设防烈度为 8 度及以上时，应采用压型钢板墙体或轻质墙板。

2 钢结构厂房屋面的隔热保温应采用非燃烧体材料。压型钢板下设有玻璃纤维毡或矿棉毡防潮层时，应采取纤维增强措施。

3 钢筋混凝土结构厂房的非承重墙体宜采用轻质墙体材料。

5.5.6 地基处理应综合场地地质、水文地质、冻土深度、地下沟道管线、相邻建（构）筑物和基础荷重等影响。工艺设备基础的不均匀沉降差应小于工艺设备要求的允许值。

6 给水、排水

6.1 一般规定

6.1.1 给水排水设计应符合节约水资源、一水多用的原则,并应满足生产、生活和消防的要求。

6.1.2 室外给水排水管道的平面布置与埋深,应根据地形、地质、冰冻深度、总平面布置、给水排水管道、管道材质、施工条件等因素确定。

6.1.3 给水排水管道管材的选择,应根据使用性质、防火要求、抗震要求及当地条件因地制宜选用,并应符合产品标准的要求。

6.1.4 工厂应提高水的重复利用率,控制新鲜水用量。

6.1.5 给水排水管道不得穿过设备基础,必须穿越时,应采取保护措施并与有关专业协商处理。给水排水管道不应穿过建筑物的伸缩缝和沉降缝,必须穿过时,应采取相应的防护措施。

6.1.6 湿陷性黄土地区的给水排水管道布置,应符合现行国家标准《湿陷性黄土地区建筑规范》GB 50025 的有关规定。

6.2 水源与水处理

6.2.1 水源选择应根据当地水源情况、城镇与工业企业规划、供水规模、水质及水压要求等条件经经济比较后确定。

6.2.2 水源选择应符合下列规定:

1 水量、水质应满足生产、生活要求;

2 以地表水为水源的设计枯水流量的年保证率宜为 90%~97%。

3 采用城镇自来水为水源时,严禁与工厂自备水源的供水管道直接连接。

6.2.3 水源水质无法直接满足生产、生活要求时，应采取水处理措施。水处理设施和工艺应根据原水水质与生产、生活对水质的要求确定。

6.3 水量、水质、水压

6.3.1 给水用水量应根据工厂工艺用水量、软化水用水量、空调用水量、生活用水量、浇洒道路和绿化用水量、水景用水量、汽车冲洗用水量、管网漏失水量及未预见水量、消防用水量等确定，并应符合下列规定：

1 工艺用水量、软化用水量应根据生产工艺确定，小时变化系数宜为1.4～2.0；

2 空调用水补水量应按空调系统的循环水量确定；

3 生活用水量、浇洒道路和绿化用水量、水景用水量、汽车冲洗用水量，应按现行国家标准《建筑给水排水设计规范》GB 50015的有关规定执行；

4 管网漏失水量及未预见水量可按最高日用水量的10%～15%计算；

5 设有自备给水净化站时，应计算水站自用水量，自用水量应根据原水水质、处理工艺和构筑物类型等因素计算确定，可采用设计水量的5%～10%；

6 消防用水量及水压、供水延续时间等，应符合国家现行有关消防标准的规定。

6.3.2 给水水压应根据生产、生活、消防用水最不利点压力及管网损失等通过计算确定。工艺机台用水压力应根据机台技术参数确定。

6.3.3 工厂用水水质应符合下列规定：

1 生活用水水质应符合现行国家标准《生活饮用水卫生标准》GB 5749的有关规定；

2 锅炉用水水质应符合现行国家标准《工业锅炉水质》

GB/T 1576的有关规定；

3 杂用水水质应符合国家现行标准《污水再生利用工程设计规范》GB 50335和《纺织染整工业回用水水质》FZ/T 01107等的有关规定；

4 洗毛和染整用水水质应根据产品种类和质量、染色工艺、设备状况等确定。

6.4 给水系统和管道敷设

6.4.1 给水系统设计应符合下列规定：

1 给水系统设计宜利用城镇给水管网的水压直接供水。不满足要求时，应设置贮水池和加压设施，并应满足卫生、安全、经济、节能的要求。

2 给水系统设计应综合利用水资源，并应充分利用再生水、雨水等非传统水源，宜实行分质供水；宜采用循环和重复利用给水系统。当采用梯级用水、循环用水、再生水、雨水回用时，应做好水量平衡。

3 热水供水系统应根据使用要求、耗热量、用水点分布情况及热源条件单独设置。热源宜利用工业余热、废热、地热和太阳能。

6.4.2 给水管道的管材与敷设应符合下列规定：

1 室外埋地给水管宜采用塑料给水管，可采用有衬里的铸铁给水管、经可靠防腐处理的钢管等。室内给水管宜采用塑料给水管，可采用塑料和金属复合管、不锈钢管、经可靠防腐处理的钢管等。

2 利用城镇给水管网水压且引入管无防回流设施时，向锅炉、热水机组、水加热器、气压水罐等有压或密闭容器注水的进水管上必须设置倒流防止器。

3 厂区总进水管、车间生产进水管和冷却塔补充水总管上应设置水表等计量设施；各工段或主要用水设备处宜设置水表等计量设施。

4 室内给水管道宜沿墙明敷,并应与工艺系统等其他管道统一敷设。给水管与电缆桥架或封闭式母线槽上下平行敷设时,给水管应布置在电缆桥架或封闭式母线槽的下方,净距不应小于0.4m。

5 给水管道不应穿越变配电房、电梯机房、电脑打样室等房间。

6 敷设在有可能结冻的房间、管架、管沟等处的给水管应采取防冻措施。当给水管结露对生产、生活产生影响时,管道应采取防结露措施。

7 给水管道不得敷设在风道、排水沟内。

6.5 消防给水系统

6.5.1 室内外消防给水系统的设置,应符合现行国家标准《建筑设计防火规范》GB 50016、《纺织工程设计防火规范》GB 50565 和《自动喷水灭火系统设计规范》GB 50084 的有关规定。

6.5.2 灭火器的配置应符合现行国家标准《建筑灭火器配置设计规范》GB 50140 的有关规定。

6.6 排水系统和管道敷设

6.6.1 排水量应符合下列规定:

1 生产排水量应以生产用水量为依据,并应区分生产废水、清洁废水的排水量,生产废水的小时变化系数宜为 1.5～3.0;

2 生活排水量、雨水排水量的确定,应符合现行国家标准《建筑给水排水设计规范》GB 50015 的有关规定。

6.6.2 排水系统应符合下列规定:

1 应采用生产、生活排水与雨水分流的排水系统,宜按质分类、清浊分流、合理划分;

2 洗毛废水应单独分流,染整废水和清洁废水宜分流,也可采用合并的排水系统；

3 食堂含油污水应经隔油池后进入生活污水管；

4 机修含油污水和水温超过40℃的设备排水应经预处理后进入污水处理站；

5 雨水回收利用时可按现行国家标准《建筑与小区雨水利用工程技术规范》GB 50400的有关规定执行；

6 各类废水在排入受纳水体或管网前，废水排放应符合现行国家标准《纺织染整工业水污染物排放标准》GB 4287和地方有关标准的规定。

6.6.3 排水管道的管材与敷设应符合下列规定：

1 室外排水管道宜采用埋地排水塑料管，有特殊要求时，应采用符合相关要求的排水管。室内排水管道宜采用建筑排水塑料管或柔性接口机制排水铸铁管。当连续排水温度大于40℃时，应采用耐热排水管。

2 车间内工艺排水形式可根据生产工艺要求采用管道或排水沟排放。当排水沟采用暗沟排放时，宜在设备排出口、三叉口及转弯处设置活动盖板，并宜每隔3跨～5跨设置伸顶通气管。工艺冷却水宜采用管道排放。

3 当废水中夹带纤维或有大块物体时，应在排出口处采取拦截措施。

4 排放腐蚀性废水时，管道或排水沟应采取防腐措施。

5 当室内管道布置于推车、搬运车经过的位置时，应采取防护措施。

6 排水管道不得敷设在对生产工艺或卫生有特殊要求的生产厂房，以及贵重商品仓库、配电室、变压器室内。

6.7 废水预处理与回用

6.7.1 对有提取羊毛脂价值的洗毛废水应先回收羊毛脂。提取羊毛脂后的洗毛废水宜经预处理后，再与其他废水混合进入后续处理工艺。

6.7.2 生产系统的洁净冷却水、直流水应加以收集、集中、处理后回用。生产废水回用应符合印染行业准入条件,回用水水质应符合现行行业标准《纺织染整工业回用水水质》FZ/T 01107 的有关规定。

6.7.3 高温热排水宜实施热能回收。

6.7.4 废水处理与回用应符合现行国家标准《纺织工业企业环境保护设计规范》GB 50425 的有关规定。

6.7.5 各类回用水管严禁与生活饮用水管直接连接。

7 采暖通风和空调滤尘

7.1 一 般 规 定

7.1.1 采暖通风与空调滤尘设计应符合现行国家标准《采暖通风与空气调节设计规范》GB 50019 的有关规定。

7.1.2 采暖通风和空调滤尘设计应满足生产,以及技术先进、经济合理、保护环境和职业安全卫生的要求,并通过综合技术经济比较确定。

7.1.3 空调通风系统消防设计应符合现行国家标准《纺织工程设计防火规范》GB 50565 的有关规定。

7.1.4 室外空气的设计计算参数应采用当地气象部门提供的相关资料,并应符合现行国家标准《采暖通风与空气调节设计规范》GB 50019 的有关规定。

7.1.5 毛纺织车间室内空气计算温湿度应满足生产工艺要求,温湿度参数可按本规范附录 D 执行。

7.1.6 车间试验室温湿度参数应按工艺要求确定。温带地区的温度宜为 22℃±2℃,相对湿度宜为 65%±3%,亚热带地区工厂中心试验室标准大气温度宜为 27℃±3℃,相对湿度宜为 65%±3%。

7.2 采 暖

7.2.1 全年日平均温度稳定低于 5℃ 的天数不小于 90d 的地区,当生产工艺对温度有要求,或房间经常有人员停留时,房间应设置供暖设施,并宜采用集中供暖。

7.2.2 采暖方式应根据厂区热源条件、工厂建设规模,经技术经济比较确定,并应符合下列规定:

1 宜利用生产过程中产生的余热、废热；

2 生产车间采暖热媒宜采用高温热水,当蒸汽作为工厂主热源时,可采用低压蒸汽作热媒,凝结水应回收；

3 设有通风系统的车间,冬季宜结合通风系统采用热风供暖。

7.2.3 采暖系统管道设计应符合下列规定：

1 生产、空调、采暖及生活用汽宜为各自独立的管路系统；

2 采暖管道应计算热膨胀,当自然补偿不能满足热膨胀要求时,应设置热补偿器；

3 采暖管道经过非采暖及有冻胀危险区域时,应采取保温措施；

4 采暖管道材质、管道敷设方式、热媒的流速等,应符合现行国家标准《采暖通风与空气调节设计规范》GB 50019 的有关规定。

7.2.4 洗毛、湿整等相对湿度较大的生产车间,散发腐蚀性气体或有腐蚀性液体外溅的场所,散热器及采暖管道应采取防腐蚀措施。

7.2.5 当散热器表面温度较高可能引发烫伤事故,或散热器周围经常有重物经过有撞击可能时,应采取防烫伤、防撞击保护措施。

7.2.6 散发粉尘或防尘要求较高的区域,应采用易于清扫的散热器。

7.3 通 风

7.3.1 设有全面空调系统的车间,新风补给量应符合国家现行有关工业企业设计卫生标准的规定,车间应保持正压。

7.3.2 非全面空调的车间通风宜采用自然通风,不满足要求时,应采用自然与机械联合通风,也可采用机械通风,通风量应满足工艺和职业卫生要求。

7.3.3 采用机械通风的车间,气流组织应有利于热湿气体的排放,通风区域应进行风量平衡计算。选毛、打土、烧毛、染色等散发粉尘、有异味的工段,应保持车间负压,不应使气流流向较清洁的房间。

7.3.4 生产过程中散发高温高湿的设备宜采用局部排风,且应采取防结露措施。

7.3.5 风机的设计工况效率不应低于风机最高效率的90%。

7.3.6 不同型号、不同性能的风机不宜串联或并联使用。

7.3.7 通风管道内的设计风速可按表7.3.7确定。

表7.3.7 通风管道内的设计风速(m/s)

风管类别	干 管	支 管
钢板及非金属风管	2～8	6～14
砖及混凝土风道	2～6	4～12

7.4 空气调节

7.4.1 生产车间的空调负荷计算应符合下列规定:

1 空调区域围护结构的传热量可采用逐时计算法,并应取计算综合最大值。

2 工艺设备机器发热量可按下式计算:

$$Q = N \cdot n \cdot k_1 \cdot k_2 \cdot k_3 \cdot \alpha \quad (7.4.1)$$

式中:Q——机器发热量(kW·h);

N——电动设备的安装功率(kW);

n——机器台数(台);

k_1——安装系数(利用系数),电动机最大实耗功率与安装功率之比;

k_2——同期使用系数;

k_3——电动机负荷系数,每小时平均实耗功率与设计最大实耗功率之比;

α——热迁移系数,宜采用实测资料。

3 厂房围护结构传热系数k应根据全面空调车间温湿度要求和室外气象条件确定。在节约能耗和防止结露的条件下,根据不同地区的气象条件,围护结构传热系数宜采用表 7.4.1 的要求。

表 7.4.1　围护结构传热系数 $k[\mathrm{W}/(\mathrm{m}^2 \cdot \mathrm{K})]$

屋　　面	总风道顶板、天沟	内　　墙	外　　墙
≤0.35	0.40～0.60	0.90～1.20	0.45～1.50

4 生产车间和附房中容易结露和产生冷桥的部位应做防结露验算,并应采取防结露措施。

7.4.2 空气调节系统的设置应符合下列规定:

1 车间空调系统应根据生产工序和温湿度要求划分,同一空调室不宜服务不同防火分区;

2 车间气流组织应有利于温湿度的均匀分布,并应减少能耗、防止二次扬尘。

7.4.3 空气调节设备的选择及空调室的布置,应符合下列规定:

1 毛纺织车间空调空气处理方式应采用喷淋洗涤室。喷淋室的喷淋排数、喷嘴密度应根据喷淋室的热工计算确定;水泵水量及扬程应满足喷淋室的热工计算要求。

2 空调室宜分别设置送风机和回风机,风机的风量宜大于计算值的 5%～10%,风机的风压宜大于计算值的 10%～15%。

3 吸入式空调室宜用于以降温去湿为主的区域,常年以加湿为主的空调室宜采用以喷雾风机为主的压入式。

4 喷淋室经过自动水过滤器过滤后的水可循环使用或排放。

5 空调室设备应选用技术先进、高效节能、质量可靠的产品,并应便于操作和维修。

6 空调室宜采用饱和蒸汽作为空气加热和加湿的热源。

7.4.4 空调室的布置应符合下列要求:

1 空调室的位置应满足工艺设备布置的要求,并应与相关专业协调;

2 空调室的面积和层高应满足设备安装、操作、测试和维修的要求;

3 空调室应设置补充水和清洗水水源,空调室排水应单独设

置,室内排水管与室外排水管相接的管段上水封高度不应小于该处的负压;

  4 建筑外墙调节窗的底面与室外地坪的高差不宜小于0.8m,车间回风调节窗底面与车间地坪的高差不宜小于0.5m。

7.4.5 空调送回风管道布置应符合下列要求:

  1 采用等截面土建总风道时,高度宜便于操作,总风道应做保温及防渗水处理,紧邻房间应做防结露验算。

  2 吊装风管宜采用镀锌薄钢板或其他轻质材料,其主辅材均应符合消防要求。

  3 地沟风道内壁应光滑、防潮、不漏风,并应按需设置检查孔、集水井。

  4 空气调节系统的控制风速可按表7.4.5选用。

表7.4.5 空气调节系统的控制风速(m/s)

部 位	常用风速	最大风速
新风进风口	2.5~5.0	6.0
回风窗	2.0~3.0	4.0
总风道	4.0~6.0	7.0
风道	5.0~8.0	10.0
车间送风口	3.0~4.0	5.0
排风口	2.0~3.0	4.0

  5 采用条缝型送风口时,宜布置在机器车间上方;条缝口宽度不宜大于120mm,并可调节。

7.5 滤 尘

7.5.1 滤尘系统设计应满足生产工艺和职业安全卫生要求。车间内空气的含尘浓度应达到国家现行有关工作场所有害因素职业接触限值的规定。车间的防尘设计应符合现行国家标准《纺织工业企业职业安全卫生设计规范》GB 50477 的有关规定。

7.5.2 滤尘机房宜与空调室相邻布置,滤尘器宜按生产线设置。

7.5.3 滤尘器和滤料应根据滤尘风量和集尘量选择。排尘风机宜选择防缠绕叶片。

7.5.4 滤尘器应采用连续过滤集尘、连续压实排除的组合滤尘设备,严禁采用沉降室除尘。

7.5.5 滤尘管道不宜穿越不同的防火分区,经济风速宜为10m/s～14m/s。滤尘管道应设置检查孔。

8 电 气

8.1 一般规定

8.1.1 供配电系统设计应满足生产要求,并应符合安全可靠、技术先进、操作方便和经济合理的要求。

8.1.2 供配电设计宜使用技术先进、性能可靠、节能环保的电气设备和材料。

8.2 负荷分级

8.2.1 用电负荷分级除应符合本规范的规定外,尚应符合现行国家标准《供配电系统设计规范》GB 50052 的规定。

8.2.2 毛纺织工厂的一般用电应为三级负荷。

8.2.3 毛纺织工厂下列场所的消防用电应按二级负荷供电:
　　1　室外消防用水量大于 30L/s 的厂房、仓库;
　　2　室外消防用水量大于 35L/s 的可燃材料堆场。

8.2.4 除本规范第 8.2.3 条规定的建筑物和堆场等的消防用电外,其他可采用三级负荷供电。

8.2.5 毛纺织工厂二级负荷的供电宜由两回线路供电,也可采用一回线路供电外加自备应急电源方式。在负荷较小或地区供电条件困难时,二级负荷可由一回 6kV 及以上专用的架空线路供电。

8.3 供配电

8.3.1 电源电压等级与供电回路数,应根据工厂建设规模、用电容量、供电条件和工艺要求等因素确定。

8.3.2 毛纺织工厂的供电电压宜采用 10kV,低压配电电压应采用 220V/380V。

8.3.3 车间变电所应符合下列规定：

1 车间变电所应根据建设规模和负荷分布设置一个或数个车间变电所；

2 车间变电所宜设置在车间附房，并宜靠近负荷中心；

3 相邻两个车间变电所之间宜设置低压联络。

8.3.4 变压器的选择和布置应符合下列规定：

1 变压器台数应根据负荷特点和经济运行等因素确定；

2 应选用节能环保型、低损耗、低噪音的三相变压器，变压器的接线组别宜选用 D,yn11；

3 不带可燃性油的高、低压配电装置和非油浸的电力变压器可设置在同一房间内，应具有符合 IP3X 防护等级外壳的不带可燃性油的高、低压配电装置和非油浸的电力变压器，当环境允许时，可互相靠近布置在车间内；

4 油浸式变压器应安装在单独的变压器室内，并应符合现行国家标准《20kV 及以下变电所设计规范》GB 50053 的有关规定。

8.3.5 20kV 及以下变电所的设计除应符合本规范的规定外，还应符合现行国家标准《20kV 及以下变电所设计规范》GB 50053 的有关规定。

8.3.6 低压配电系统设计除应符合本规范的规定外，还应符合现行国家标准《低压配电设计规范》GB 50054 的有关规定。

8.4 照　　明

8.4.1 毛纺织工厂的车间照明宜采用一般照明，选毛、穿综穿筘、验布和修布等工段可采用混合照明。车间一般照明应采用高光效光源、高效灯具和节能器材；混合照明可根据用途及环境采用适用的光源。和毛仓应采用密封性能优良的防火专用灯具。

8.4.2 灯具布置应根据建筑结构、灯具型式和生产要求确定。

8.4.3 主要生产车间或场所的一般照明标准值应符合表8.4.3的规定。

表8.4.3 主要生产车间或场所的一般照明标准值

车间或场所	工作面高度（m）	照度标准值（lx）	统一眩光值 UGR	一般显色指数 Ra	备 注
选毛	0.75	300	22	80	选毛台混合照明，照度不低于500 lx
和毛、梳毛	0.75	150	22	80	—
前纺	0.75	200	22	80	—
后纺	0.75	300	22	80	—
准备	0.75	200	22	80	穿综穿筘混合照明，照度不低于750 lx
织造	0.75	300	22	80	—
后整理	—	150	22	80	验布、修布混合照明，照度不低于500 lx
染色	—	150	22	80	—

注：其他区域的一般照明标准值应符合现行国家标准《建筑照明设计标准》GB 50034的有关规定。

8.4.4 车间作业区内的一般照明照度均匀度不应小于0.7，作业面邻近周围的照度均匀度不应小于0.5。

8.4.5 毛纺织工厂消防应急照明和消防疏散指示标志的设置，应符合现行国家标准《建筑设计防火规范》GB 50016的有关规定。

8.4.6 照明配电系统应采用三相四线制，并应采取防频闪措施。车间照明应按工序、工段或操作工车位设照明配电箱。

8.5 火灾自动报警系统

8.5.1 火灾自动报警系统的设置应符合现行国家标准《纺织工程设计防火规范》GB 50565 的有关规定。

8.5.2 火灾自动报警系统的设计应符合现行国家标准《纺织工程设计防火规范》GB 50565 和《火灾自动报警系统设计规范》GB 50116 的有关规定。

8.6 防雷与接地

8.6.1 毛纺织工厂的建筑物、构筑物应根据防雷类别划分采取相应的防雷措施,且应符合现行国家标准《建筑物防雷设计规范》GB 50057 的有关规定。

8.6.2 毛纺织工厂的户外燃料油、润滑油储罐应采取相应的防雷措施,且应符合现行国家标准《石油库设计规范》GB 50074 的有关规定。

8.6.3 化工原料罐、可燃气体罐应采取相应的防雷措施,且应符合现行国家标准《石油化工企业设计防火规范》GB 50160 的有关规定。

8.6.4 存在静电引燃、引爆危险的场所应设置静电防护措施,且应符合现行国家标准《防止静电事故通用导则》GB 12158 等的有关规定。

8.6.5 毛纺织工厂的低压配电系统接地型式宜采用 TN 系统,接地电阻值不应大于 4Ω。不同接地系统共用接地装置时,接地电阻值应按最小值要求。

8.6.6 接地保护除应符合本规范外,还应符合现行国家标准《系统接地的型式及安全技术要求》GB 14050 的有关规定。

8.7 无功补偿与谐波治理

8.7.1 毛纺织工厂的供电系统应设无功功率集中或分级补偿装

置,补偿后的功率因数不应低于0.9。供电部门另有要求时,应符合供电部门的有关规定。

8.7.2 谐波治理宜根据建设项目的实际情况和供电部门的要求采取治理措施。

9 动　力

9.1 一般规定

9.1.1 毛纺织工厂的用热负荷应包括生产工艺、空调、采暖和生活用热。

9.1.2 热源的供应应根据所在区域的供热规划确定。当热源不能由区域热电厂、区域锅炉房或其他企业的锅炉房供时,应自设锅炉房。

9.1.3 锅炉房的设计应符合现行国家标准《锅炉房设计规范》GB 50041 的有关规定,并应与安全生产、经济效益和环境保护相结合。锅炉燃料的选用应做到合理利用能源和节约能源。

9.1.4 蒸汽、燃气、压缩空气、导热油、冷冻水等介质,应设置计量装置。

9.2 蒸汽供热系统

9.2.1 毛纺织工厂的最大热负荷计算应按生产、空调、采暖、生活和锅炉自用热负荷之和乘以同时使用系数并计算管网损失后得出。生产用热和生活用热宜分别设置。

9.2.2 当采用城市(区)热电厂集中供热,且供热参数不满足生产要求时,应设置减压减温装置,且宜有一套备用。

9.2.3 生产用汽应在热力站集中控制,各主要车间宜单独敷设干管。

9.2.4 管道设计流量应根据热负荷计算确定,热负荷应包括近期发展的需要量。

9.3 蒸汽凝结水回收和利用

9.3.1 使用蒸汽间接加热而产生的凝结水,应回收利用。

9.3.2 高压和低压凝结水系统应分别敷设。空调、采暖凝结水应与生产凝结水分别敷设。

9.3.3 蒸汽凝结水的回收方式和设备,应根据用汽特点和条件、管道敷设方式等综合分析后确定。

9.3.4 蒸汽凝结水的回收系统宜与工艺生产热废水的热回收系统相结合。

9.4 导热油供热系统

9.4.1 毛纺织工厂使用热载体加热炉为高温热源时,加热炉选型应根据工艺设备用热参数、热负荷量及当地燃料条件确定,且宜设置备台。

9.4.2 热载体加热炉房的位置宜靠近热负荷中心。使用同种燃料的热载体加热炉房宜与蒸汽锅炉房布置在同一区域,且宜合用辅助设施。

9.4.3 导热油供热系统设计应选用导热油在炉管中的流速、导热油炉进出口油温的温差,并应采取防止导热油氧化及油温过高的措施。

9.4.4 当建有油罐区时,油罐区的设计应符合现行国家标准《纺织工程设计防火规范》GB 50565 的有关规定。

9.5 燃 气

9.5.1 毛纺织工厂的燃气管道设计应符合现行国家标准《城镇燃气设计规范》GB 50028 及《工业企业煤气安全规程》GB 6222 的有关规定。

9.5.2 进车间的燃气管道宜架空敷设。

9.6 压缩空气

9.6.1 压缩空气站的设计容量应依据工艺提供的设备用气压力、用气量、用气品质要求,计入同时使用系数、管道系统漏损系数后计算确定。

9.6.2 压缩空气站的设计应符合现行国家标准《压缩空气站设计规范》GB 50029 的有关规定。

9.7 制　　冷

9.7.1 制冷站宜靠近负荷中心。

9.7.2 制冷机的选择应综合工厂建设规模、使用特征、空气调节冷负荷，以及当地能源结构、政策、价格和环境保护等因素确定。

9.7.3 制冷设备的单台容量及台数选择，应适应空气调节的冷负荷特性。

9.7.4 制冷系统管道应采取保冷措施。

9.7.5 制冷站的设计应符合现行国家标准《采暖通风与空气调节设计规范》GB 50019 的有关规定。

9.8 管 道 敷 设

9.8.1 厂区热力管道应根据热负荷分布确定，并应结合空压管、燃气管、给水排水管等设置管架、管沟。

9.8.2 车间内蒸汽管道的布置应便于安装、操作和检修，管道宜沿墙和柱敷设，应满足装设仪表的要求，不应妨碍门、窗的启闭与室内采光。

9.8.3 架空管道在不妨碍交通的地段可采用低支架敷设，通过人行通道地段宜采用中支架敷设，在车辆通行地段应采用高支架敷设。

9.8.4 热力管道可与重油管、压力不大于 1.6MPa（表压）的压缩空气管、给水管敷设在同一地沟内。

9.8.5 热力管道热膨胀的补偿应利用管道的自然补偿，不满足要求时，应设置补偿器。

9.8.6 管道设计应采取防止表面结露的措施。

10 仓 储

10.1 一 般 规 定

10.1.1 物资储备应满足保证生产、加快周转、防止损失的要求,并应合理确定仓库的面积。

10.1.2 仓库布置应方便生产和运输,宜靠近使用部门。

10.1.3 库区和库内货物的装卸运输应提高机械化程度。

10.2 原料库、成品库

10.2.1 原毛的储存周期可根据原料市场供应确定,在供应充足、采购方便时,原毛储存周期可按 2 个月～3 个月计;全部由本厂储存时,可按 6 个月～9 个月计。选后毛储存周期可按 1 个月～2 个月计。原毛库及选后毛库可根据当地情况,设置仓库、棚库或露天堆场。

10.2.2 粗纺厂用的洗净毛、炭化毛及化纤散纤维的储存周期可按 3 个月～4 个月计。洗净毛、炭化毛库可根据当地情况,设置仓库或棚库。化纤散纤维宜采用仓库储存。

10.2.3 精纺厂用的毛条、化纤条,储存周期可按 1 个月～3 个月计,宜采用仓库储存。

10.2.4 洗净毛、炭化毛及呢绒等成品的储存周期可按 1 个月～3 个月计,宜采用仓库储存。

10.2.5 原料库和成品库的建筑面积可根据荷重法按下式计算:

$$S = \frac{Q \cdot T}{q \cdot f} \qquad (10.2.5)$$

式中:S ——仓库面积(m^2);

Q ——日存储量(kg);

T ——储存周期(d);
q ——单位面积储存能力(kg/m²);
f ——面积利用系数,可取 0.5~0.6。

10.2.6 仓库堆卸设备可采用移动式堆包机、单梁吊车或装卸板等设施。多层仓库可采用电梯垂直运输。成品布包底层应设置垫木。

10.3 染化料库及助剂的储存

10.3.1 染化料和助剂的储存周期可按 1 个月计。
10.3.2 桶装或袋装的染化料和助剂的储存能力可按 300kg/m²~500kg/m² 计,面积利用系数宜为 0.5~0.6。

10.4 危险品库

10.4.1 危险品库内应分隔成若干间,并应将各类物品分开堆放。
10.4.2 危险品库应防止太阳直晒,库内应保持干燥、阴凉、通风,并应配置消防设施。

10.5 机物料、机配件库

10.5.1 机物料和机配件的储存周期可根据企业规模和市场供应确定。
10.5.2 机物料和机配件库内各种小件物品的储存可采用层式货架,人工存取的货架高度不宜超过 2.5m。

10.6 其他仓库

10.6.1 色毛球、粗纱、细纱、筒纱、坯布等中间库,应根据企业规模、生产计划、品种安排等,按方便生产、就近安排的原则布置。
10.6.2 润滑油库可根据工厂规模设置,面积可为 15m²~30m²。

11 职业安全卫生

11.0.1 职业安全卫生设计应贯彻"以人为本、安全第一、防治结合、预防为主"的指导方针。

11.0.2 工作场所的危险和有害因素应完整调查分析。治理和防范措施应做到技术先进、经济合理、安全适用。

11.0.3 职业安全卫生设计除应符合本规范的规定外,尚应符合现行国家标准《纺织工业企业职业安全卫生设计规范》GB 50477的有关规定。

11.0.4 原毛应采取消毒措施。当采用钴60辐射法消毒时,辐射室应采取安全防护措施。钴60的使用、贮存、运输、装卸,以及监督和管理设计,应按现行国家标准《电离辐射防护与辐射源安全基本标准》GB 18871的有关规定执行。

11.0.5 选毛车间应与洗毛车间分隔。打土间应单独设置,并应设置除尘装置。磨皮辊机应设置独立的吸尘装置。

11.0.6 选毛工作台除尘吸风口宜设置水平吸尘。洗毛车间采用洗毛废水处理闭路循环系统时,应设置控制循环使用时间和洗液含菌量的大、小循环系统,洗毛车间应采取通风排湿措施。

11.0.7 蒸刷机、剪毛机、钢丝起毛机、起剪联合机等设备应设置局部除尘装置。炭化机除杂部分应设置除尘装置。

11.0.8 梳毛机宜采用真空抄针、真空吸尘技术。揩油渍工作台和称量室应设置排气装置。修焊针室应对铅烟进行处理,室内空气中的铅烟含量应低于 $0.03mg/m^3$。

11.0.9 梳毛车间、纺纱车间和织造车间,以及除尘室和空压站等的噪声超过职业卫生标准的规定值时,应采取降噪措施。

11.0.10 和毛油调制室,洗毛、复洗机,洗呢机,洗绒机,染线机,脱水机等设备周围地面、操作台,应采取防滑措施。

11.0.11 选毛和打土工序应设淋浴室,浴室内不应设浴池。

附录 A 工艺流程

A.0.1 选毛、洗毛及毛条制造生产工艺流程,应符合下列要求:

1 羊毛应为原毛→选毛(手拣)→(打土)→洗毛→洗净毛;

2 羊绒应为原绒→选绒→打土→洗绒→复选→开松混和→分梳→打包→无毛绒;

3 毛条制造应为洗净毛→和毛→梳毛→毛条头道针梳→毛条二道针梳→毛条三道针梳→精梳机→条筒针梳→末道针梳。

A.0.2 精梳毛纺制品的生产工艺流程,应符合下列要求:

1 条染复精梳工艺流程应为(松球)→压球→染色→脱水→复洗→混条→针梳(前一)→针梳(前二)→精梳机→针梳(后一)→针梳(后二)→色毛条;

2 纺纱工艺流程应为混条→头道针梳→二道针梳→三道针梳→(四道针梳)→粗纱(1道~2道)→细纱→(蒸纱)→自动络筒→摇纱→绞纱
并线→倍捻→蒸纱→筒子纱;

3 织造工艺流程应为筒子纱→分条整经→穿筘→织造→坯布;
→筒子纬纱→

4 染整工艺流程应为坯布→检验→生修→(烧毛→揩油渍)→洗呢(洗缩)→煮呢→吸水→(染色→开幅)→煮呢→吸水→烘呢(定型)→中检→熟修→蒸刷→剪呢→给湿→烫光→蒸呢→预缩→成检→卷呢→包装→入库;

5 匹染产品可不经过条染复精梳工序,复精梳车间的针梳道数可根据产品要求增减,单纱产品可不经过并线、倍捻,染整工艺流程可根据染整工艺、工序、设备进行调整。

A.0.3 粗梳毛纺制品的生产工艺流程,应符合下列要求:

1 选毛、洗毛、炭化、染色工艺流程应为原毛→选毛→洗毛→炭化→染色→脱水→烘干→染色毛。

2 纺织工艺流程应为和毛→梳毛→细纱（环锭或走锭）→（蒸纱）→自动络筒→并线→倍捻→筒子纱→分条整经→穿筘→筒子纬纱──→织造→坯布。

3 染整工艺流程应符合下列要求：
  1) 纹面织物应为坯布→检验→生修→（缩呢）→洗呢→脱水→（染色→脱水）→烘干→中检→熟修→剪毛→蒸刷→烫光→蒸呢（罐蒸）→成检→折卷→包装→入库；
  2) 呢面织物应为坯布→检验→生修→洗呢→缩呢→脱水→（染色→脱水）→（缩呢→洗呢）→脱水→烘干→中检→熟修→（起毛）→剪毛→蒸刷→烫光→蒸呢（罐蒸）→成检→折卷→包装→入库；
  3) 立绒织物应为坯布→检验→生修→洗呢→缩呢→脱水→（染色→脱水）→烘干→中检→熟修→起剪联合→成检→折卷（卷呢）→入库；
  4) 顺毛织物应为坯呢→检验→生修→洗呢→缩呢→脱水→烘干→中检→熟修→起剪联合→湿刷→浸轧→刺果起毛→烘干→刷、剪多次→烫光→成检→折卷（卷呢）→入库。

4 匹染产品可不经过散毛染色工序。染整工艺流程可根据染整工艺、工序、设备进行调整。

附录B 主要工艺参数

B.0.1 洗毛、选毛和毛条制造工艺参数可按表B.0.1选用。

表B.0.1 洗毛、选毛和毛条制造工艺参数

序号	设备名称	原料投入量(kg/h)	出条重量(g/m)	生产速度	效率(%)	运转率(%)	制成率(%)	备注
1	洗毛联合机	400~600	—	—	80	92	国毛30~45，澳毛55~75	—
2	和毛机	400~500	—	—	75	92	99	—
3	梳毛机	—	15~20	40m/min~50m/min	80~85	92	—	—
4	毛条头道针梳	—	20~25	100m/min~150m/min	80~85	94	99.8	—
5	毛条二道针梳	—	18~22	100m/min~150m/min	80~85	94	99.8	—
6	毛条三道针梳	—	12~13	100m/min~150m/min	80~85	94	99.8	—
7	精梳机	—	22~24	190钳次/min~220钳次/min	80~85	94	80~87	—
8	条筒针梳	—	18~22	100m/min~150m/min	80~85	94	99.8	—
9	末道针梳	—	18~22	100m/min~150m/min	80~85	94	99.8	—
10	羊绒联合分梳机	6~7	—	—	—	—	45~50	提绒率92%

注：羊绒联合分梳机的制成率和原料的品质有关，应根据实际原料选择和调整。

B.0.2 精梳毛纺制品条染复精梳工艺参数可按表 B.0.2 选用。

表 B.0.2 精梳毛纺制品条染复精梳工艺参数

序号	设备名称	出条重量(g/m)	生产速度	加工数量(kg/次)	加工时间(min/次)	效率(%)	运转率(%)	制成率(%)	备注
1	成球机	18～22	35m/min～65m/min	—	—	80	92	99.5	—
2	压球机	—	—	20～120	10～20	85	90	—	—
3	毛条染色机	—	—	90～100	240～300	80～85	94	—	规格100kg
4	脱水机	—	—	60～120	10～20	80	94	—	—
5	复洗机	20～24	7m/min～10m/min	—	—	70～75	94	99.8	—
6	混条机	24～25	100m/min～150m/min	—	—	80～85	94	99.8	—
7	针梳(前一)	24～25	100m/min～150m/min	—	—	80～85	94	99.8	—
8	针梳(前二)	12～13	100m/min～150m/min	—	—	80～85	94	99.8	—
9	精梳机	22～24	190钳次/min～220钳次/min	—	—	80～85	94	98	—
10	针梳(后一)	20～22	100m/min～150m/min	—	—	80～85	94	99.8	—
11	针梳(后二)	20～22	100m/min～150m/min	—	—	80～85	94	99.8	—

B.0.3 精梳毛纺制品纺纱织造工艺参数可按表 B.0.3 选用。

表 B.0.3 精梳毛纺制品纺纱织造工艺参数

序号	设备名称	出条重量 (g/m)	生产速度	加工数量 (kg/次)	加工时间 (min/次)	效率 (%)	运转率 (%)	制成率 (%)	备注
1	混条机	18～25	100m/min～150m/min	—	—	80～85	94	99.8	—
2	头针	18～25	100m/min～150m/min	—	—	80～85	94	99.8	—
3	二针	9～12	100m/min～150m/min	—	—	80～85	94	99.8	—
4	三针	4～5	150m/min～180m/min	—	—	70～75	94	99.8	—
5	四针	0.66～5.5	150m/min～180m/min	—	—	75～80	94	99.8	—
6	粗纱机	0.15～1.5	150m/min～180m/min	—	—	80～85	94	99.8	—
7	细纱机	0.007～0.03	7000r/min～10000r/min	—	—	90～95	94	98	—
8	自动络筒机	—	800m/min～850m/min	—	—	85～90	94	99	—
9	并线机	—	800m/min～850m/min	—	—	90～95	94	99.8	—
10	倍捻机	—	7000r/min～10000r/min	—	—	90～95	94	99.8	—
11	蒸纱机	—	—	100～700	70	80～85	94	99.8	根据设备规格
12	整经机	—	600m/min～1000m/min	—	—	30	94		—
13	剑杆织机	—	300m/min～400m/min	—	—	80～90	90	97	—

B.0.4 精梳毛纺制品染整工艺参数可按表 B.0.4 选用。

表 B.0.4 精梳毛纺制品染整工艺参数

序号	设备名称	上机次数	加工数量（匹/次）	加工时间（min/次）	生产速度（m/min）	效率（%）	运转率（%）	备注
1	量呢机	1	—	—	20～40	50	94	—
2	烧毛机	1	—	—	80～120	80	94	—
3	洗呢机	1～2	4～8	60～80	—	80	94	
4	洗缩机	1	4～8	120～150	—	85	94	
5	平洗+连煮机	1	—	—	20～28	85	94	
6	连续煮呢机	1	—	—	15～25	85	94	
7	双槽煮呢机	1～2	2	30～50	—	85	94	
8	匹染机	1	根据规格	320～440	—	92～95	94	
9	开幅机	1～3	—	—	30～45	80	94	
10	烘定联合机	1～2	—	—	20～25	80	90	
11	蒸刷机	1	—	—	20～30	80	94	
12	剪毛机	1	—	—	20～25	80	90	
13	给湿机	1	—	—	15～30	80	92	
14	烫光机	1	—	—	15～25	80	90	
15	罐蒸机	1	6～8	20	—	70	92	
16	连续蒸呢机	1～2	—	—	15～25	80	90	
17	预缩机	—	—	—	15～20	80	90	
18	检验机	3	—	—	11～18	50	94	含生坯检验、复检和成检
19	折卷机	1	—	—	30	55	94	—

B.0.5 粗梳毛纺制品炭化纺纱织造工艺参数可按表 B.0.5 选用。

表 B.0.5 粗梳毛纺制品炭化纺纱织造工艺参数

序号	设备名称	出条重量（g/m）	生产速度	加工数量（kg/h）	效率（%）	运转率（%）	制成率（%）
1	炭化联合机	—	—	250～300	80	92	90～96
2	和毛机	—	—	400～500	75	92	99
3	梳毛机	0.12～0.25	16m/min～28m/min	—	80～85	92	90～94
4	环锭或走锭细纱机	0.08～0.2	3000r/min～8000r/min	—	85～90	92	97
5	自动络筒机	—	700m/min～800m/min	—	85～90	92	99
6	并线机	—	700m/min～800m/min	—	80～90	92	99
7	倍捻机	—	4000r/min～9000r/min	—	80～90	92	99
8	整经机	—	600m/min～1000m/min	—	30	92	—
9	剑杆织机	—	300m/min～450m/min	—	75～85	90	97

注：1 工艺参数以目前国内生产厂使用较多的国产和进口设备为参考，设计时应根据实际选用的设备确定。
2 粗梳毛纺制品染整工艺参数可按精梳毛纺制品染整相应工序执行。

附录C 主要设备排列间距

C.1 精梳毛纺

C.1.1 毛条及纺织设备排列间距可按表C.1.1确定。

表 C.1.1 毛条及纺织设备排列间距

设备名称	二机间距(m) 挡车弄	二机间距(m) 后车弄	二机间距(m) 车头弄	二机间距(m) 车尾弄	机器离墙距离(m) 挡车弄	机器离墙距离(m) 后车弄	机器离墙距离(m) 车头弄	机器离墙距离(m) 车尾弄	车间通道(m) 设在车弄	车间通道(m) 设在靠墙	备注
拣毛台	2.1	—	2	—	3.2	—	1.2	—	3	3.5	单列单人
洗毛联合机	—	—	2	—	4～5	4～5	1.8	1.8	2	2	—
羊绒联合分梳机	—	—	1.5	—	3～4	3～4	2	2	2	2	—
和毛机	—	—	—	—	—	1.5	1.5	1.5	—	—	B262
梳毛机	3～4.5	4.5	1.5～2	—	3	3～4	1.5	1.5	2	2	—
毛条针梳机	3.5	4	2.5	—	3	3	2.5	2.5	2.5	3	—
精梳机	2～2.5	2.5	1.5	—	2	2	1.5～2	1.5～2	2	2.5	—
复洗机	—	—	1.5	—	3	2	2	2	1.8	2	—
混条机	4	2	2.5	—	3	3	2.5	2.5	2.5	3	—
针梳机	3.5	4	2.5	—	3	3	2.5	2.5	2.5	3	—
粗纱机	2.5	2	1.5	—	2～2.5	2.5	2	2	1.8	2	—
细纱机	1～1.2	—	1.5～2	2.5～3	1.4～1.8	—	1.5～2	2.5～3	1.5	—	—
自动络筒机	1.8～2	0.9～1	1.5～2	2.5～3	1.4～1.8	1.5	1.5～2	2.5～3	1.5	2	二车间距含吸风和小车,两机面对面排列

续表 C.1.1

设备名称	二机间距(m)				机器离墙距离(m)				车间通道(m)		备注
	挡车弄	后车弄	车头弄	车尾弄	挡车弄	后车弄	车头弄	车尾弄	设在车弄	设在靠墙	
并线机	1.5	—	1.5~2	2.5~3	1.4~1.8	1.5	1.5~2	2.5~3	1.5	2	两机面对面排列
倍捻机	1	—	1.5~2	2.5~3	1.4~1.8	1.5	1.5~2	2.5~3	1.5	2	—
蒸纱机	—	—	—	—	3	1.2	1.2	1.2	—	—	宜安装在附房内
络筒机	1.4	—	1.5~2	2.5~3	1.4~1.8	—	1.5~2	2.5~3	1.5	2	—
分条整经机	—	—	1	1	4	2	1.2		2.2	2.5	—
穿筘架	—	—	1	1	2.5	2.5	2	2			—
无梭织机	0.8~1	1.8~2.2	0.5~0.8	0.5~0.8	—	2	2	2	1.8~3.5	2~3.5	门幅不大于2200mm
量呢机	—	—	1			1	1				—
修补台	0.6	—	0.3		1.8	1.5	0.6	0.6	1.5	1.5	应与机器工序隔离排列

C.1.2 染整设备排列间距可按表C.1.2确定。

表 C.1.2 染整设备排列间距

设备名称	操作面排列要求(m)				机器左右离墙距离(m)	二机间距(m)	备注
	进料面	出料面	进出料面	后车			
松球机	4~5	4~5	—	—	—	—	—
毛球装筒机	2.5	—	—	1	1	—	—

续表 C.1.2

设备名称	操作面排列要求(m)				机器左右离墙距离(m)	二机间距(m)	备注
	进料面	出料面	进出料面	后车			
毛球染色机	—	—	2.5	1.2~1.5	1.2	1	—
烧毛机	3~4.5	2.5~3	—	—	1~1.2		—
洗呢机	—	—	3.5		1.2	1~1.2	—
洗缩机	—	—	3.5	1.4	1.2	1~1.2	—
煮呢机	2.5	2.5	—	—	1.2	1~1.2	—
连续煮呢机	3~4.5	2.5~3	—	—	1~1.2		—
平洗+连煮机	3~4.5	2.5~3	—	—	1~1.2		—
匹染机	—	—	3.5		1.5	1~1.2	—
吸水机	3.5	2	—	—	1.2		—
拉幅烘干机（热定型机）	3~5	—	—	1.5	1.4	1.5~1.8	—
蒸刷机	2.5	2	—	—	1.2		—
剪毛机	2~2.5	2~2.5	—	—	1.2		—
给湿机	2~2.5	2~2.5	—	—	1.2		—
烫光机	2~2.5	2~2.5	—	—	1.2		—
罐蒸机	3~4.5	2.5~3	—	—	1.5	1.5	—
连续蒸呢机	2~2.5	2~2.5	—	—	1.2		—
预缩机	2~2.5	2~2.5	—	—	1.2		—
检验机	—	—	—	—	1.2	1~1.2	离窗1.8m~2.2m,宜采北光
折卷机	2.5	2.5	—	—	1.2		—
脱水机	—	—	2		1	1.2	—

注：1 设备排列间距以目前国内生产厂使用较多的国产和进口设备为参考。

2 输出产品处为挡车弄，喂入处为后车，有主电动机的一侧为车头，其对侧为车尾。

3 细纱机、自动络筒机、并线机、倍捻机、挡车弄柱净距 0.5m。

4 车间不同设备之间应根据需要确定半制品的周转空间。

5 烫光机压力带检修侧与墙的距离不应小于 2.2m。

C.2 粗梳毛纺

C.2.1 纺织设备排列间距可按表 C.2.1 确定。

表 C.2.1 纺织设备排列间距

设备名称	二机间距(m)				机器离墙距离(m)				车间通道(m)		备注
	挡车弄	后车弄	车头弄	车尾弄	挡车弄	后车弄	车头弄	车尾弄	设在车弄	设在靠墙	
炭化联合机	4~4.5	—	2		6	4	1.5	1.5	2	2.2	—
和毛机	—	—	—		—	—	1.5	1.5	1.5	—	—
粗纺梳毛机	3.5~4.5	4~4.5	1.5		3	4~4.5	1.5	1.5	1.5	1.7	—
细纱机	1~1.2	—	2~2.5	2.5~3	1.4~1.8		1.5~2	2.5~3	2		—
自动络筒机	1.8~2	0.9~1	1.5~2	2.5~3	2~2.2		2~2.5	2.5~3	1.5	2	二车间距含吸风和小车,两机面对面排列
并线机	1.5	—	1.5~2	2.5~3	1.4~1.8	1.5	1.5~2	2.5~3	1.5	2	两机面对面排列
倍捻机	1	—	1.5~2	2.5~3	1.4~1.8	1.5	1.5~2	2.5~3	1.5	2	—
分条整经机	—	—	1		4	2	1.2		2.2	2.5	—
穿筘架	—	—	1	1	2.5	2.5	2	2	2	2	—
无梭织机	0.8~1	1.8~2.2	0.5~0.8	0.5~0.8	—	2	2	2	1.8~3.5	2~3.5	门幅不大于2200mm

注:粗纺厂选洗毛设备间距可按精纺毛条设备间距设置。

C.2.2 染整设备排列间距可按表C.2.2确定。

表C.2.2 染整设备排列间距

设备名称	操作面排列要求(m)				机器左右离墙距离(m)	二机间距(m)
	进料面	出料面	进出料面	后车		
散毛染色机	—	—	2.5	1.2～1.5	1.2	1
散毛烘干机	3	4	—	—	1.4	1.5～1.8
缩呢机	—	—	3.5	1.5	1.2	1～1.2
刺果起毛机	—	—	3.5～4.5	1.5	1.5	1.2
钢丝起毛机	—	—	3.5～4.5	1.5	1.5	1.2

注：粗纺染整设备与精纺染整设备相同时，可按精纺染整设备排列间距。

附录 D 车间温湿度参数

D.0.1 精纺厂车间温湿度参数可按表 D.0.1 确定。

表 D.0.1 精纺厂车间温湿度参数

车间	冬 季		夏 季	
	最低温度(℃)	相对湿度(%)	最高温度(℃)	相对湿度(%)
拣毛间	20～22	—	30	—
洗毛间	20～22	—	局部送风	—
和毛间	20～22	60～65	28～30	60～65
梳毛间	20～22	65～75	28～30	65～75
精梳间	20～22	65～75	28～30	65～75
针梳间	20～22	65～75	28～30	65～75
复洗间	20～22	无雾、不滴水	局部送风	—
条染间	20～22	无雾、不滴水	局部送风	—
前纺间	20～24	70～75	28～30	70～75
粗纱库	20～21	75～85	30	75～85
细纱间	22～26	65～75	28～30	65～75
络筒并线	20～24	60～70	28～30	60～70
倍捻	22～26	60～70	28～30	60～70
准备间	20～24	60～70	28～30	65～75
织造间	22～26	60～70	28～30	60～70
修补间	22～24	55～65	25～27	50～65
湿整间	20～24	无雾、不滴水	局部送风	—
干整间	20～24	60～65	局部送风	60～70
成检间	20～24	55～65	28～30	55～65

D.0.2 粗纺厂车间温湿度参数可按表 D.0.2 确定。

表 D.0.2 粗纺厂车间温湿度参数

车间	冬 季		夏 季	
	温度(℃)	相对湿度(%)	温度(℃)	相对湿度(%)
拣毛间	20～22	—	＜30	—
洗炭间	20～22	—	局部送风	—
分梳间	21～25	80～90	28～30	80～90
和毛间	20～22	65～75	＜30	65～75
梳毛间	20～22	65～75	＜30	65～75
细纱间	22～26	60～75	28～30	60～75
准备间	20～24	60～70	28～30	65～75
织造间	22～26	60～70	28～30	60～70
修补间	22～24	55～65	25～27	50～65
湿整间	20～24	无雾、不滴水	局部送风	—
干整间	20～24	60～65	局部送风	60～70
成检间	20～24	55～65	28～30	55～65

注：分梳间主要为羊绒分梳。

附录 E 试验室仪器设备

E.0.1 试验室仪器设备可按表 E.0.1 确定。

表 E.0.1 毛纺织厂中心试验室仪器表

仪器类别	仪器名称
纤维纱线类	激光细度仪
	ALMETER 长度仪
	索氏萃取仪(脂肪测定仪)
	缕纱测长仪
	数字式捻度机
	单纱强力仪或全自动强力仪
	条干均匀度仪
	纱疵分析仪
	八蓝恒温烘箱
	摇黑板仪
织物面料类	多功能织物强力仪
	织物起毛起球仪
	滚箱起球仪
	马丁旦尔耐磨仪(织物平磨仪)
	织物折皱弹性仪
	织物密度镜
	数字式织物厚度仪
	天平

续表 E.0.1

仪器类别	仪器名称
染整类	日晒牢度仪
	摩擦牢度仪
	耐洗色牢度仪
	耐熨烫、升华牢度仪
	耐汗渍牢度仪
	汽蒸收缩测试仪
	AATCC标准缩水率试验机(标准洗衣机)
	标准光源箱
	分光仪
	pH值测定仪
	振荡器

注：1 本表仪器选型以国产为主，企业可根据自身需要选择，仪器宜根据企业检测项目增减或合并。

2 配置OFDA4000型羊毛细度长度仪时，可不配置激光细度仪和ALMETER长度仪。

3 本表不含车间试验室的仪器。

本规范用词说明

1 为便于在执行本规范条文时区别对待,对要求严格程度不同的用词说明如下:
 1)表示很严格,非这样做不可的:
  正面词采用"必须",反面词采用"严禁";
 2)表示严格,在正常情况下均应这样做的:
  正面词采用"应",反面词采用"不应"或"不得";
 3)表示允许稍有选择,在条件许可时首先应这样做的:
  正面词采用"宜",反面词采用"不宜";
 4)表示有选择,在一定条件下可以这样做的,采用"可"。

2 条文中指明应按其他有关标准执行的写法为:"应符合……的规定"或"应按……执行"。

引用标准名录

《砌体结构设计规范》GB 50003
《建筑结构荷载规范》GB 50009
《混凝土结构设计规范》GB 50010
《建筑抗震设计规范》GB 50011
《建筑给水排水设计规范》GB 50015
《建筑设计防火规范》GB 50016
《钢结构设计规范》GB 50017
《采暖通风与空气调节设计规范》GB 50019
《厂矿道路设计规范》GBJ 22
《湿陷性黄土地区建筑规范》GB 50025
《城镇燃气设计规范》GB 50028
《压缩空气站设计规范》GB 50029
《建筑照明设计标准》GB 50034
《锅炉房设计规范》GB 50041
《工业建筑防腐蚀设计规范》GB 50046
《供配电系统设计规范》GB 50052
《20kV 及以下变电所设计规范》GB 50053
《低压配电设计规范》GB 50054
《建筑物防雷设计规范》GB 50057
《石油库设计规范》GB 50074
《自动喷水灭火系统设计规范》GB 50084
《工业企业噪声控制设计规范》GB/T 50087
《火灾自动报警系统设计规范》GB 50116
《建筑灭火器配置设计规范》GB 50140

《石油化工企业设计防火规范》GB 50160
《工业企业总平面设计规范》GB 50187
《构筑物抗震设计规范》GB 50191
《防洪标准》GB 50201
《污水再生利用工程设计规范》GB 50335
《建筑工程建筑面积计算规范》GB/T 50353
《建筑与小区雨水利用工程技术规范》GB 50400
《纺织工业企业环境保护设计规范》GB 50425
《纺织工业企业职业安全卫生设计规范》GB 50477
《纺织工程设计防火规范》GB 50565
《工业锅炉水质》GB/T 1576
《纺织染整工业水污染物排放标准》GB 4287
《生活饮用水卫生标准》GB 5749
《工业企业煤气安全规程》GB 6222
《防止静电事故通用导则》GB 12158
《工业企业厂界环境噪声排放标准》GB 12348
《系统接地的型式及安全技术要求》GB 14050
《电离辐射防护与辐射源安全基本标准》GB 18871
《纺织染整工业回用水水质》FZ/T 01107

中华人民共和国国家标准

毛纺织工厂设计规范

GB 51052-2014

条文说明

制 订 说 明

《毛纺织工厂设计规范》GB 51052—2014 经住房城乡建设部 2014 年 12 月 2 日以第 592 号公告批准发布。

在本规范的制订过程中,编制组对我国具有代表性的大型毛纺织工厂进行了大量的资料查询和走访调查,整理了以往的设计资料,通过详细地调查研究,广泛地掌握第一手数据,总结了我国毛纺织工程建设和生产的实践经验,同时参考了近年引进国外先进技术的生产情况,在征求行业专家意见的基础上,形成本规范。

为便于广大设计、施工、科研和监督部门等单位的工程技术人员在使用本规范时能正确理解和执行条文规定,《毛纺织工厂设计规范》编制组按章、节、条顺序编制了本规范的条文说明,对条文规定的目的、依据以及执行中需注意的有关事项进行了说明,还着重对强制性条文的强制性理由作了解释。但是,本条文说明不具备与规范正文同等的法律效力,仅供使用者作为理解和把握规范规定的参考。

目　次

1 总　　则 …………………………………………… (69)
3 工艺设计 …………………………………………… (70)
　3.1 一般规定 ………………………………………… (70)
　3.2 工艺流程 ………………………………………… (70)
　3.3 设备选用 ………………………………………… (70)
　3.4 生产车间布置和设备排列 ……………………… (71)
　3.5 工艺要求 ………………………………………… (72)
　3.6 辅助生产设施 …………………………………… (72)
4 总图布置 …………………………………………… (73)
　4.1 一般规定 ………………………………………… (73)
　4.2 总平面布置 ……………………………………… (74)
　4.3 竖向设计 ………………………………………… (74)
　4.5 厂区道路 ………………………………………… (75)
　4.6 绿化 ……………………………………………… (75)
　4.7 总图技术经济指标 ……………………………… (75)
5 建筑结构 …………………………………………… (76)
　5.1 一般规定 ………………………………………… (76)
　5.2 生产厂房 ………………………………………… (76)
　5.3 辅助用房 ………………………………………… (77)
　5.4 建筑防火、防爆 ………………………………… (77)
　5.5 结构型式和构造 ………………………………… (77)
6 给水、排水 ………………………………………… (79)
　6.2 水源与水处理 …………………………………… (79)
　6.3 水量、水质、水压 ……………………………… (79)

6.4 给水系统和管道敷设	(80)
6.5 消防给水系统	(80)
6.6 排水系统和管道敷设	(81)
6.7 废水预处理与回用	(82)

7 采暖通风和空调滤尘 (83)
    7.1 一般规定 (83)
    7.4 空气调节 (84)
    7.5 滤尘 (85)

8 电 气 (87)
    8.1 一般规定 (87)
    8.2 负荷分级 (87)
    8.3 供配电 (87)
    8.4 照明 (88)
    8.5 火灾自动报警系统 (88)
    8.6 防雷与接地 (89)
    8.7 无功补偿与谐波治理 (89)

9 动 力 (91)
    9.1 一般规定 (91)
    9.2 蒸汽供热系统 (91)
    9.4 导热油供热系统 (92)
    9.5 燃气 (93)
    9.7 制冷 (93)

10 仓 储 (94)
    10.1 一般规定 (94)
    10.2 原料库、成品库 (94)
    10.5 机物料、机配件库 (95)

11 职业安全卫生 (96)

1 总　　则

1.0.1 本规范的制定是以科学技术和生产实践经验的综合成果为基础，以促进最佳社会效益为目的。规范的制定能推进毛纺织工厂工程设计工作的标准化和规范化。

1.0.2 本条为本规范的适用范围。本规范适用于羊毛、特种动物纤维、化纤及与其他短纤维混纺的纺纱、织布、染整工厂的全过程的工程设计。毛条厂和毛毯厂及毛线厂在纺纱和织布及染整过程中与毛纺织工艺生产没有较大区别，因此可按本规范有关分段工艺过程，不另作设计规范。为生产服务的公用工程设施如空压站、制冷站等，以及办公生活设施已有各自的专门规范，所以本规范不包括这些设施的设计，只针对毛纺织工厂对这些设施的要求作出规定。

1.0.7 工厂设计是一个系统工程。除本规范的规定外，还应符合国家现行的法律、法规、标准和规范，不得与国家现行的法律、法规、标准和规范相冲突。

3 工 艺 设 计

3.1 一 般 规 定

3.1.1 毛纺织工厂的工艺设计包括毛条厂、精梳毛纺织厂、粗梳毛纺织厂。毛条厂多分为选毛、洗毛和制条车间,精梳毛纺织厂一般分为条染复精梳、纺纱、织造、染整四个生产车间,有些全能精梳毛纺织厂还包括原毛加工、毛条车间。粗梳毛纺织厂一般分为原毛加工、梳纺、织造、染整四个生产车间。

3.1.4 车间布置应结合工厂总平面布置图、工厂规模、生产工艺流程、厂房形式、柱网尺寸、建筑防火及卫生规范以及设备排列方案,进行综合考虑。在满足工艺生产的前提下,选择适当的柱网尺寸、建筑形式,有利于降低造价;毛纺织生产对空调的要求较高,合理安排空调室,有利于空调系统的设计;合理布置车间变电所、空压站、热力站,可降低投资、减少损耗。

3.2 工 艺 流 程

3.2.1 每种产品都有其特定的外观和技术要求,采用原料、纺纱方式、织物组织、染色方法、整理特点和光泽、手感等方面,都有一定的差异,应根据产品的特点确定相应的工艺流程。

3.3 设 备 选 用

3.3.1 本条说明如下:

4 全能型的毛纺织企业生产中要使用大量的蒸汽和水。毛条或散毛染色机、复洗机、洗缩机、连续煮呢机、烘呢机、蒸纱机、烫光机、溢流染色机等设备,使用过程间接用汽,会产生蒸汽冷凝水,在工厂设计中应设计冷凝水回收系统,并宜配置高质量的疏水器,以保证冷凝水的回收。毛条或散毛染色机、溢流染色机、蒸纱机使用时,需要冷却水降温,也应考虑回收。

3.3.3 后整理应根据工厂的规模、产品批量的大小,选择采用连续式设备,才能有效地利用设备,真正实现高效、节能、低耗。

3.4 生产车间布置和设备排列

3.4.1 由于毛纺织厂的厂房一般由多个车间组成,为便于管理,毛纺织厂的原料库和成品库多考虑设置在一起或同个区域,因此车间布置宜考虑成"U"形。由于车间之间的运输是频繁的,且较多为手推车,运输路线较长也会影响产品的质量,故本条应在保证车间工艺路线顺畅的情况下进行。

3.4.4 毛纺织厂生产车间的火灾危险性类别,干加工车间属于丙类,湿加工车间属于丁类,建筑耐火等级不低于二级。车间布置应按照现行国家标准《纺织工程设计防火规范》GB 50565 中对厂房的防火间距、防火分区、厂房的安全疏散的要求进行。现行国家标准《纺织工程设计防火规范》GB 50565 中未表述的按现行国家标准《建筑设计防火规范》GB 50016 的要求进行。如单层纺织车间面积超过 12000m^2 需设置防火墙,防火墙上的开门需设置甲级防火门,厂房内任一点到最近安全出口的距离不应大于 80m。厂房长度超过 220m 时,需设置消防通道,因此车间的大小、厂房的长度和宽度应合理选择,以免造成不必要的消防投入或面积浪费。

3.4.5 条染车间、染整车间用水、用汽较多,且为工厂主要生产污水排放点,宜将条染和染整车间靠近布置,可方便供水、供汽,并尽可能靠近水源、汽源、污水处理系统,以缩短管路。

3.4.6 织机振动大,如放置在楼上会对厂房有较高的要求,需特殊处理,会增加土建造价。

3.4.9 本条说明如下:

  1 烧毛机、烘干机、定型机、罐蒸机等机器需要向外排气,宜靠近车间外墙排放。如不能靠车间外墙排放,可在做好屋面防水的前提下,通过车间屋顶开洞排气。

3.5 工艺要求

3.5.1 本条说明如下:

 2 毛纺织厂工艺设备给水压力一般不宜低于0.2MPa。如个别设备有特殊要求,可采用局部增压。

 3 毛纺织厂生产用水水质要求指洗毛、染整用水,不含锅炉用水。硬度指标为软化水的水质要求。

3.5.2 当工厂采用热电厂供汽时,也可采用过热蒸汽,但应根据设备要求考虑是否采取减温措施。

3.6 辅助生产设施

3.6.1 生产辅助设施应根据企业规模及生产组织形式等条件确定,所需生产辅助设施的设置可结合企业实际需要进行增减、合并,灵活掌握。

3.6.2 目前各厂组织管理形式和协作程度不同,试验仪器的配置可以根据生产实际需要进行调整。

 表E.0.1为精纺厂中心试验室所用仪器,粗纺厂、绒线厂也可按表E.0.1选用。

4 总图布置

4.1 一般规定

4.1.1、4.1.2 总图布置应强调符合国家有关节地、节能、节材、保护环境、安全卫生和防火等有关规定和项目所在地规划部门的控制性详细规划要求。防火间距、环保、卫生、安全、防地质灾害等也都有国家强制性标准规定，必须严格执行。毛纺织厂的特点是产品多样化，女工人数多，多数车间对通风、除尘有一定要求。因此，在建厂时需对建设地点的自然条件、技术经济条件和社会条件进行深入细致的调查。

4.1.3 本条说明如下：

（1）将厂区建筑物按功能性质分区包括生产系统、辅助生产系统和非生产系统，根据功能区的相互关系进行布置，不论从生产、生活、卫生、消防以及运输等各方面的要求出发，都是十分必要的。技改项目还要注意新建设工程应同现有的功能分区相协调和适应。

（2）主厂房确定后，各种辅助和附属设施应靠近所服务的部门和车间，动力供应部门应接近负荷中心，以缩短管线、节约资源、降低能源损失。

（3）行政管理和生活服务设施的布置应体现集中布置原则，严格控制占地指标，避免过多占用土地。

（4）毛纺厂的货运具有批量小、来往频繁等特点，职工人数又多，因此，生产区的货流通道应与人流通道尽可能分离。大中型毛纺织工厂在仓储区宜设置货运出入口，将物流和人流分开，避免交叉，以保证厂区道路安全和便于管理。

4.1.5 总平面设计必须按照主管部门的要求，使建设项目最终取得预期的经济效果。厂外配套设施工程的设计会受到建设地点和各相关管理部门的制约,应充分利用当地建设条件或采取合作资助等方式,取得一致意见后最终确定总平面设计方案。

4.2 总平面布置

4.2.1 本条说明如下:

(1)根据建厂地区常年主导风向确定生产区和生活区的上下风向位置和生产区内部的建筑分区。工厂区应在生活区的下风向;有危害或受尘土污染的车间,应在其他车间的下风向。

(2)我国的基本国情是人口多、耕地少,因此必须认真贯彻科学合理、节约用地的原则。建设用地不得预留不用或者早征迟用,造成土地资源的巨大浪费。

4.2.2 毛纺织厂的生产厂房一般体量都较大,又多采用联合厂房,所以应将厂房布置在地质条件较好的地段。厂区建(构)筑物在满足安全、卫生、防火以及厂区工程管线敷设要求的条件下应尽可能合并。主厂房体型宜力求规则、接近矩形,以便于施工与生产管理,受到建厂地区场地条件限制时也可选择其他形式。

4.3 竖 向 设 计

4.3.2、4.3.3 总图竖向设计应合理利用地形、地貌,减少土石方、挡土墙、护坡和建筑基础工程量,减少雨水对土壤的冲刷。竖向布置系统有平坡式和台阶式两类,布置方式有连续、重点、混合式三种。考虑到毛纺织厂车间运输的需要,竖向设计宜采用平坡式连续竖向布置。在个别地形复杂地段,对附属和辅助建(构)筑物也可采用阶梯式、重点式或混合式竖向布置。台阶的划分应尽可能与厂区功能分区一致。

4.3.4 厂区标高的设定应注意与厂外周围建筑和道路标高相协调,并应有利于厂区排水。

4.5 厂区道路

4.5.1 场地设计高程与周围相应的现状高程及规划控制高程之间,应有合理的衔接。

4.5.4、4.5.5 厂区道路系统应有利于雨水排泄,便于管线敷设。厂区内主次干道路设计一般采用城市型道路。厂内主干道的最小宽度宜为6m～7m,次干道的宽度宜为3.5m～4m。

4.6 绿 化

4.6.1、4.6.2 厂区绿化不仅能美化环境,也是满足卫生要求的重要措施。工厂建设中,应结合具体条件进行绿化并合理选择树种,绿化指标应符合当地规划部门提出的要求。

4.7 总图技术经济指标

4.7.1 总图布置主要技术经济指标是确定总平面设计方案是否合理的依据。关于容积率的指标各地规划部门要求不尽统一,设计时可以按各地要求采用不同的容积率指标。土石方工程量指标可根据工程是否需要再行列出。

5 建筑结构

5.1 一般规定

5.1.1 毛纺织厂应有良好的保温隔热、自然通风和排气效果,对于有腐蚀性介质的地方,应有相应的防腐蚀措施。

5.1.3 建筑设计应在保证质量的前提下,利用先进合理的新形式、新材料和新技术,创造良好的社会效益和经济效益。

5.2 生产厂房

5.2.1 毛纺织厂的建筑形式按层次分,有单层厂房和多层厂房;按屋顶采光通风方式分,有锯齿形厂房、气楼式厂房。染色、后整理车间,洗毛车间应采用自然通风和排气效果良好的建筑形式。由于传统的锯齿形厂房造价高、工期长,已逐渐被气楼式厂房代替。

5.2.2 车间建筑平面的组成,主要包括工艺设备的安装、生产操作与劳动组织所需要的面积,半制品储放所需要的面积,供电与采暖通风设施所需要的面积,生产辅助部门所需要的面积,运输及通道所需要的面积以及生产管理和生活供应所需要的面积。

厂房的空间布置内容包括工艺设备及各种架空管线的布置,采光、照明和通风管道的安排。

5.2.3 有空调的房间应有保温及防结露措施;严寒地区的建筑及生产湿度大的车间入口处应有保温措施。

5.2.4 湿加工车间的地坪应具有耐腐蚀性能,可使用水磨石、耐酸碱的水刷石或耐酸碱的地砖材料,以便随时进行冲洗。炭化车间地面易酸蚀,通常采用花岗岩地面。

5.2.5 由于洗毛、炭化、染整等车间在生产过程中使用酸、碱性等染化料助剂,有酸雾挥发、腐蚀性介质作用等可能性,因此要求这些车间应有防腐蚀措施。炭化车间地面腐蚀较重,应采用花岗岩地面。

5.3 辅助用房

5.3.1 生产附属用房宜尽量靠近它所服务的车间。

5.4 建筑防火、防爆

5.4.1 本条是依据现行国家标准《建筑设计防火规范》GB 50016和《纺织工程设计防火规范》GB 50565的规定确定毛纺织厂生产车间的火灾危险性类别的。毛纺织厂汽化室的火灾危险性为甲类;干加工车间、原料库、成品库、烧毛间的火灾危险性为丙类;湿加工车间的火灾危险性为丁类。

5.4.4 汽油气化室在生产车间中是易引发爆炸危险的场所,房间应靠外墙设置泄压设施,尽可能减少其危害,并对相邻部位墙体、门、地面提出了预防爆炸的措施要求。本条列为强制性条文。

5.5 结构型式和构造

5.5.1 毛纺织工厂的结构设计首先应满足工艺生产的需要,并考虑建厂地区的具体条件,同时要符合国家现行有关标准、规范、规程的要求。

5.5.2 毛纺织工厂的洗毛、染色、湿整车间在生产过程中会产生大量湿热雾气,很容易在屋顶及墙面形成滴水,因此在结构选型时应选用带排气功能的结构型式以利排湿气。

5.5.3 本条说明如下:

　　1～3 建筑结构楼屋面各种活荷载均应符合现行国家标准《建筑结构荷载规范》GB 50009的有关规定。对轻型房屋钢结构的风荷载,应符合现行国家标准《钢结构设计规范》GB 50017及其相关规定。多层厂房设计时要充分重视设备荷载的分布。轻型房屋屋面还应考虑施工、检修时可能出现在最不利位置上的人和工具自重形成的集中荷载。

4 操作荷载对板面一般取 $2.5kN/m^2$,当堆料较多时,按实际情况取用,操作荷载在设备所占的楼面面积内不予考虑。

5 吊挂荷载除吊挂风道外,还应考虑工艺、水、暖、电、通风、空调等系统悬挂于结构的管道和设备荷载。

6、7 风道底板及地沟盖板活荷载除执行现行国家标准《建筑结构荷载规范》GB 50009 的相关规定外,还应满足工艺及实际操作或堆放荷载的要求。

5.5.5 厂房围护结构尽可能采用轻型材料以减小地震作用。钢结构屋面的防潮对屋面构件耐久性的提高有直接影响,应予以重视。

6 给水、排水

6.2 水源与水处理

6.2.2 本条说明如下：

1 水源水量可靠和水质符合要求是水源选择的重要条件。

2 现行国家标准《室外给水设计规范》GB 50013 对地表水设计枯水流量保证率作了相应规定。但以地表水作为消防水源时，枯水流量年保证率不应小于97%，且应设置可靠的取水设施。

3 本款为强制性条文。城镇给水管道严禁与工厂自备水源的供水管道直接连接，此款在现行国家标准《建筑给水排水设计规范》GB 50015 和《室外给水设计规范》GB 50013 中均作了强制性要求。

6.3 水量、水质、水压

6.3.1 本条说明如下：

1 工艺各种用水量随着工艺流程、工艺参数、染色设备、回用水平等诸多因素有所变化，此用水量主要应由工艺专业经计算确定，可参照本规范第 3.5.1 条的有关规定。

2 空调补水量应按空调系统的循环水量确定。当空调系统较大时，空调补水量可按循环水量的 0.3%～0.5% 确定；当空调系统较小时，空调补水量可按循环水量的 1%～2% 确定。

5 工厂自备给水净化站的自用水量根据现行国家标准《室外给水设计规范》GB 50013，一般按给水量的 5%～10% 计算。

6 工厂的消防用水量根据现行国家标准《建筑设计防火规范》GB 50016、《纺织工程设计防火规范》GB 50565 和《自动喷水灭火系统设计规范》GB 50084 等有关消防规范执行。消防用水量仅用于校核管网计算,不计入正常用水量。

6.3.3 工厂内宿舍、食堂等生活饮用水的水质应符合现行国家标准《生活饮用水卫生标准》GB 5749 的有关规定。工厂内蒸汽锅炉的额定出口压力一般小于或等于 2.5MPa(表压),其水质应符合现行国家标准《工业锅炉水质》GB/T 1576 的规定。杂用水水质应满足国家现行标准《污水再生利用工程设计规范》GB 50335 和《纺织染整工业回用水水质》FZ/T 01107 等的用水要求。洗毛和染整用水水质要求应满足表 3.5.1 的要求。

6.4 给水系统和管道敷设

6.4.2 本条说明如下:

1 本款列举了给水系统中的管材。给水管产品性能应符合现行产品标准的要求。

目前各地都在提倡新型管材,且种类较多。塑料管因卫生、节能、环保、安装方便、耐腐蚀、使用寿命长得到大力推广。其品种包括铝塑复合管(PAP)、聚乙烯管(PE)、无规共聚聚丙烯管(PP-R)、硬聚氯乙烯管(PVC-U)(非铅盐稳定剂生产)等。根据建住房〔1999〕295 号文"在城镇新建住宅中,禁止使用冷镀锌钢管用于室内给水管道,并根据当地实际情况逐步限时禁止使用热镀锌钢管"的精神,禁止镀锌钢管使用在生活给水上。将热镀锌钢管用于生产给水的企业也不在少数,有的企业采用钢塑复合管,有的企业采用不锈钢管输送冷却水和软化水。当使用钢管时,要注意钢管的内外防腐处理,防腐处理常用的有衬塑、涂塑或涂防腐涂料。

2 本款为强制性条文。本款要求在现行国家标准《建筑给水排水设计规范》GB 50015 中也作了强制性要求,本款针对有温有压容器设备,不含家用型热水机组(含热水器、热水炉)。如果工厂引入管上已设置防回流设施(即空气间隙、倒流防止器),可不在工厂内的有温有压容器设备的进水管上重复设置。

6.5 消防给水系统

6.5.1、6.5.2 现行国家标准《建筑设计防火规范》GB 50016、《纺织工程设计防火规范》GB 50565和《自动喷水灭火系统设计规范》GB 50084对工厂的消防设计作了详细规定。

6.6 排水系统和管道敷设

6.6.1 生产排水量一般可按生产用水量计算得到,一般可取生产用水量的80%~90%。区分生产废水、清洁废水及生活排水等,是为便于计算废水量、可重复利用排水及考虑废水回用等。

6.6.2 工厂内排水一般可分为生产排水、生活排水、清洁废水排水和雨水。生产冷却水等清洁废水宜收集,经适当处理后回用于生产或作为其他杂用水使用。雨水是一种很好的天然水,可将雨水收集、贮存后作为中水使用。

工厂废水在排入受纳水体或管网前,废水排放水质应符合《纺织染整工业水污染物排放标准》GB 4287的有关规定。除上述标准外,还应符合地方有关标准的规定,如处于太湖地区的工厂应符合《太湖地区城镇污水处理厂及重点工业行业主要水污染物排放限值》DB 32/1072的有关规定。

6.6.3 本条说明如下:

1 根据原建设部2007年第659号公告《建设事业"十一五"推广应用和限制禁止使用技术(第一批)》中,推广应用技术第124项"推广埋地塑料排水管",限制使用第17项"灰口铸铁管材、管件";限制使用第18项"小于等于DN500mm排水管道限制使用平口、企口混凝土管"的规定,故推荐在工厂室外优先采用埋地排水塑料管,室内采用建筑排水塑料管及管件或柔性接口机制排水铸铁管及相应管件,对耐腐蚀、温度和强度有特殊要求时,应采用符合相应要求的排水管道。

染色、湿整车间的设备排水温度一般高于40℃,若仍采用普通塑料管,则会使其寿命大大缩短,甚至会软化损坏。

2 车间内工艺设备的排水形式可根据生产工艺和车间环境要求采用管道或排水沟排放,排水沟可以是明沟和暗沟。当排水沟采用暗沟时,为检修和清掏方便,排水沟的设备排出口、三叉口及转弯处应设置活动盖板,设置伸顶通气管是为了排出沟内的气体。工艺冷却水一般需回用或循环使用,为避免污染宜采用管道排放。

3 为避免管道堵塞和增加管道清掏的工作量,在含有纤维或有大块物体时的废水排出口处设置必要的拦截措施。

6.7 废水预处理与回用

6.7.1 洗毛绒废水中主要含有羊毛脂、羊汗和泥沙等杂物,含有很高的 COD,且洗毛绒废水和染整废水水质悬殊太大,因此先对洗毛绒废水进行预处理,再与其他废水混合后进入后续处理工艺更为合理,这样更能保证处理系统的稳定运行。

洗毛废水中含有被乳化的羊毛脂,是一种用途广泛的化工原料,目前市场价格较高,如果能回收这部分羊毛脂综合利用,将能"以废养废",实现经济效益、社会效益和环境效益的统一。

6.7.2 根据工厂的实际要求,回用水水质应符合现行行业标准《纺织染整工业回用水水质》FZ/T 01107 的规定,杂用水水质也可参照现行国家标准《污水再生利用工程设计规范》GB 50335 的规定。

6.7.3 部分染缸的排水温度较高,甚至可达到 90℃以上。当高温排水量较大时,可经管道收集后进行集中间接热交换或采用热泵技术进行热能回收,用于加热冷水或其他用途。

6.7.5 本条为强制性条文。敷设回用水输配管时,严禁与生活饮用水管直接连接,防止污染生活饮用水系统。防止误接、误用、误饮的措施有回用水管道外壁按有关标准的规定涂色和标志;公共场所和绿化的中水取水口设带锁装置;水池、阀门、水表及给水栓、取水口均有明显的"中水"、"非饮用水"等标志。

7 采暖通风和空调滤尘

7.1 一般规定

7.1.4 室外空气设计参数是空调设计的基础,参数选择不当将影响工程投资、能源消耗、生产环境和运行成本。为便于设计,本规范规定应以项目地方气象部门提供的相关数据为基础,或采用现行国家标准《采暖通风与空气调节设计规范》GB 50019 规定的计算办法。国家有新的规定时按国家新规执行。

7.1.5 附录 D 车间温湿度参数主要用在以毛和化纤为原料的毛纺织厂。近年来新型纺织材料不断出现,采用新纤维的温湿度条件应采用试验办法确定参数。

7.1.6 本条中心试验室是指大型毛纺织企业为加强质量管理和质量控制,单独建立的试验中心。它有别于车间试验室,室内空气参数要求较高,这里只规定了中心试验室的空气参数。

纺织品试验用大气条件主要规定了温度、相对湿度和大气压力三个参数。为了克服大气条件变化对纺织品检验结果的不利影响,使得在不同时间、不同地点的检验结果具有可比性和统一性,现行国家标准《纺织品　调湿和试验用标准大气》GB/T 6529 对纺织品检验用的大气条件作出统一规定,如表1。

表1　纺织品的调湿和试验用标准大气

项目	标准级别	标准温度(℃)	允差(℃)	标准相对湿度(%)	允差(%)
温带标准大气	一级	20	±2	65	±2
	二级	20	±2	65	±3
	三级	20	±2	65	±5
热带标准大气	一级	27	±2	65	±2
	二级	27	±2	65	±3
	三级	27	±2	65	±5

本规范选择了其中温带标准大气的二级标准作为纺织厂标准试验室采用恒温恒湿设备控制试验温湿度的参数。二级标准主要用于常规检测,三级标准则用于一般性的检测。对于商业性和仲裁性的检验则必须采用温带标准大气的一级标准。纺织品的检验应用一级标准,其物理性能和机械性质应在温带标准大气下进行检测。毛纺织企业中心试验室应根据工厂规模和检测任务等情况决定是否设置。

毛纺织厂中心试验室的温度和相对湿度控制参数应根据厂址所处气候条件的情况,以及检测任务要求和相关工艺条件确定。在亚热带地区的夏季,毛纺织厂车间试验室和中心试验室的温湿度控制参数可按热带标准大气的二级标准掌握,即把试验室温度调控在27℃±2℃。

我国规定的标准大气压为101.325kPa,对于在非温带标准大气条件下,以及温度、相对湿度偏离标准大气条件下检测到的各项试验数据,应按相关的纺织品检测试验方法的规定进行数据修正。

7.4 空气调节

7.4.1 本条说明如下:

2 关于机器发热量的计算,在条文中没有给出各系数的数值,主要是考虑到近年来毛纺织设备发展比较快,有些系数已经不适用,目的是让设计人员采用实测的办法确定,通过实测总结积累经验。为了保持此项计算办法的连续性,将目前采用的系数作如下说明:

k_1为安装系数(利用系数),为电动机最大实耗功率与安装功率之比,可取0.7~0.9。

k_2为同期使用系数,可取0.9。

k_3为电动机负荷系数,为每小时平均实耗功率与设计最大实耗功率之比。

a为热迁移系数,集中外排时取0.9,其他取1.0。

3 表7.4.1中的围护结构传热系数是参照了《全国民用建筑工程设计技术措施节能专篇》(建质〔2006〕277号)的附录A,不同地区公共建筑各部分围护结构传热系数限值的确定,如表2。设计时可以根据我国气候分区采用相应的围护结构传热系数。

表2 围护结构传热系数限值(体形系数≤0.3)[W/(m²·K)]

气候分区	屋　面	外　墙
严寒地区A区	≤0.35	≤0.45
严寒地区B区	≤0.45	≤0.50
寒冷地区	≤0.55	≤0.60
夏热冬冷地区	≤0.70	≤1.00
夏热冬暖地区	≤0.90	≤1.50

7.5　滤　　尘

7.5.2 滤尘机房宜与空调室相邻布置,这主要是考虑滤尘排风可以方便地进入空调机房的混风室,以便回用。

7.5.4 本条为强制性条文。本条规定了毛纺织工厂选用滤尘器的原则,应选用连续过滤集尘、连续压实排除的组合滤尘设备,严禁采用沉降室除尘。由于灰尘中含有大量的杂物和纤维,具有可燃危险,为了防止火灾发生,在滤尘管道内、滤尘器入口处加装火星探除器,切断火种进入滤尘设备。为防止管道、滤尘设备系统中有大量松散纤维和尘杂积沉或有可能形成高浓云尘,则采用现代连续滤尘、集尘、压实和排除的滤尘设备,完全避免了沉降室弊病。

20世纪80年代后期,可连续过滤、连续排杂的复合干式滤尘器开始用于毛纺织工厂。目前国内新建纺织工厂普遍采用复合式滤尘器,第一级为圆盘,第二级为多筒或圆笼,可连续过滤、连续排杂。在该类滤尘器内部,可燃粉尘浓度高的区域小,积尘量很少,具有较高的安全性。

7.5.5 滤尘管道风速设计的要求是不积尘、保证各排尘点的排风量和压力差在允许的范围内,同时要求尽量减小阻力、降低能耗和便于维修。纺纱滤尘管道经济风速可参考表3确定。

表3 滤尘管道经济风速

排尘杂部位	尘杂种类	尘杂状态		管道风速 (m/s)
		松散纤维密度 (kg/m³)	含纤维量 (%)	
分梳机吸尘落棉	车肚花	15~20	45~60	7~14
分梳机盖板	盖板花	10~15	80~90	6~14

8 电　　气

8.1 一般规定

8.1.1、8.1.2 毛纺织工厂的供配电系统设计,除应满足生产要求外,还应满足安全可靠、技术先进、操作方便、经济合理和节能降耗要求。经济合理和节能降耗涉及方方面面,如变配电系统选择节能设备、正确选择装机容量、减少设备本身能耗、提高系统功率因数、治理谐波和提高供电质量等。供配电系统设计应将传统技术与新技术有机结合起来,实现节能目标。

8.2 负荷分级

8.2.1~8.2.4 这几条明确了毛纺织工厂负荷分级的具体内容。

8.2.5 毛纺织工厂的消防负荷一般都不大,从供电部门就近获得独立第二电源的可能性较小,即使供电部门能提供第二电源,投资也很大。因此采用自备应急电源较为经济可靠。自备应急电源可以采用柴油发电机组,也可采用 EPS 或 UPS 等。根据项目的具体情况,遵循经济合理、安全可靠的原则,选择自备应急电源。

8.3 供配电

8.3.3 毛纺织工厂应按负荷分布同时兼顾投资方的管理要求设置车间变电所,相邻两个车间变电所之间宜设低压联络,用途是为防灾和检修用电。

8.3.4 D,yn11 接线组别的三相配电变压器,其高压绕组为三角形,低压绕组为星形且有中性点和"11"的接线组别,可以有效地抑制各类非线性用电设备所产生的谐波引起的电网电压正弦波形畸变率。D,yn11 接线组别变压器的原边应为三角形接线,这就为

3n次谐波提供了通路,并产生反向谐波电流和磁通。D,yn11接线在绕组中感应的3n次谐波反电势,比Y,yn0接线方式高,能有效地削弱由于电网污染而形成的3n次谐波对设备的危害,提高系统的抗干扰能力,降低零序阻抗,提高单相短路电流值,对提高断路器单相短路电流动作灵敏度有较大的作用。另外D,yn11接线组别变压器的单相短路电流值可以是Y,yn0接线组别变压器单相短路电流的3倍,这也有利于调整变压器低压侧总开关动作电流值。另外变压器的选用宜采用10型及以上的三相干式变压器,以及11型及以上的三相油浸式变压器。

8.4 照 明

8.4.1 毛纺织工厂的厂房吊顶高度一般不超过4.5m,适宜采用节能型荧光灯具作为厂房的一般照明。一般照明可采用敞开式直接配光型灯具,其射出的光通量能最大限度地落到工作面上,有较高的利用系数,节能效果明显。同时在照明线路中设置节电装置,可以提高照明线路功率因数,有平衡电压、削减负载过剩电压等节电效果,还可有效地削减电子镇流器产生的三次谐波。车间一般照明采用高光效光源、高效灯具和节能器材的同时,也应考虑最初投资与长期运行的综合经济效益。

8.4.3 毛纺织工厂主要生产车间或场所的照明标准值是根据实际工程经验,同时结合现行国家标准《建筑照明设计标准》GB 50034的规定得出的,设计照度一般情况下不应高于表8.4.3的规定。

8.5 火灾自动报警系统

8.5.1、8.5.2 本条规定毛纺织工厂设置火灾自动报警系统应根据现行国家标准《纺织工程设计防火规范》GB 50565确定,设置区域的设计尚应符合现行国家标准《火灾自动报警系统设计规范》GB 50116的规定。

8.6 防雷与接地

8.6.4 本条规定易产生静电危害的设备和管道等应设置静电防护措施。主要原因是静电会影响正常生产,其次静电积累到一定程度后有可能自行放电产生电弧而引起火灾。

8.6.5 本条规定毛纺织工厂的低压配电系统接地型式宜采用TN系统。设计采用TN－C还是TN－S或TN－C－S接地系统,设计人员可结合项目的具体情况和采用设备的技术要求选择接地形式。

8.7 无功补偿与谐波治理

8.7.2 毛纺织工厂由于大量使用变频调速设备和照明荧光灯采用电子镇流器等非线性用电设备,使得在设计中注意谐波危害和加强谐波防治措施显得越来越重要。谐波的主要危害表现为对电动机的转子造成明显局部发热,缩短其使用寿命或被迫降容运行;对变压器产生附加损耗,从而引起过热,使绝缘介质老化加剧导致绝缘损坏,同时产生噪声;会使并联补偿电容器吸收谐波电流而引发过载发热,严重时可引起谐波谐振,加剧电容器的老化和损坏;会使断路器的开断能力降低,严重时某些断路器的磁吹线圈不能正常工作;对设备中的电子设备,继电保护、通信线路都可能造成影响。近几年来有的毛纺织工厂大量采用了变频技术和数字控制设备,由于未重视谐波治理,经常发生毁损电力电容器,甚至使工艺设备无法正常运行,给企业造成较大经济损失。毛纺织工厂的谐波治理应根据谐波源采取应对措施,一般可有以下防治措施:

（1）增加系统承受谐波能力,如在设计中采用35kV电网供电、选用单台容量大的供电变压器供电等;

（2）选用D,yn11接线组别的三相配电变压器;

（3）改变电容器组串联电抗器参数,或将电容器组的某些支路改为滤波器,或限制电容器组的投入容量,避免电力电容器组对谐波的放大等；

(4)加装静止无功补偿装置或动态无功补偿装置,采用 TCR、TCT 或 SR 型静补装置时,其容性部分设计成滤波器；

(5)改变变频器性能,实现谐波源互补配置；

(6)厂房照明荧光灯采用中功率因数的电感式镇流器；

(7)不需随机调速的电动机不加装变频器；

(8)采用无源或有源滤波器等其他新型抑制谐波的措施。

另外,工程中常采用无功功率补偿和谐波电流滤波组合在一起,组成 LC 电路,按计算无功功率和供电部门对功率因数的要求进行无功功率补偿。电抗器的额定值通常为 50Hz 时,电容器的额定无功功率用百分比表示,常用值为 7%。这也是经济可行的组合式补偿和滤除谐波的方案之一。

9 动　　力

9.1 一般规定

9.1.1 毛纺织工厂的用热负荷包括生产工艺、空调、采暖和生活用热。生产工艺、生活用热属于全年性热负荷，主要决定于用热设备的数量、使用人数、使用状况、生产过程、生产量及工作制度等因素，空调、采暖用热属于季节性热负荷，随室外气象条件的变化而变化。设计前应结合工厂实际情况确定热负荷种类。

9.1.2 本条是对供热热源的规定，按"节能减排"的原则，应优先考虑利用区域热电厂、区域锅炉房等方式供热。优先利用可再生能源，减少不可再生能源的利用。

9.1.3 本条是对燃料选用的规定。

以往锅炉房燃料以燃煤为主，随着我国"西气东输"政策的实施，以燃气、燃油作锅炉燃料得到快速发展。我国对环境保护更加重视，对环保执法力度不断加强，现在国内不少大、中城市对多数区域内使用的锅炉燃料作出许多限制，如不准使用燃煤作燃料等。所以锅炉房燃料的选用要按新的环保技术要求和地方法规条款规定的要求考虑。

9.1.4 本条是对公用工程管道计量的规定，在进厂区和进车间的主管上应设置计量装置，车间内的主要工序和主要机台的管道进口宜设置计量装置。

9.2 蒸汽供热系统

9.2.1 本条规定了毛纺织工厂热负荷计算的原则。
9.2.2 本条是对使用区域热电厂集中供热时的规定。

（1）热电厂热网供热参数一般为1MPa、280℃～290℃，需减压减温并符合毛纺织工厂生产、生活用汽要求。如果热电厂热网供热参数满足工艺生产要求，可不设减压减温装置。

（2）为确保毛纺织工厂的供热安全，在有条件时宜有一套备用。

9.2.3 本条是为便于各车间的考核与控制。

9.4 导热油供热系统

9.4.1 热定型工序要使用280℃以上的高温热源，在调查中大部分工厂采用以导热油为载热体的加热炉，出油温度为280℃，回油温度为260℃，也有部分工厂利用城市煤气、液化石油气、汽油、电能产生高温热源以满足生产工艺对高温热源的要求。当工艺用热设备不是连续运行或者用热设备的停运不影响工艺生产线的运行或者工艺允许热载体加热炉不设备台时，可以不设备台。

9.4.2 本条是对热载体加热炉房的布置要求。在设置热载体加热炉房布置调研中，自建锅炉房的企业一般与蒸汽锅炉共建锅炉房，也有在车间附房内设置燃用柴油或天然气的热载体加热炉房。但总的布置要求应力求靠近热负荷中心，布置上必须符合国家卫生标准、防火规定及安全规程中的有关规定。

9.4.3 本条是对导热油供热系统的设计要求。多年来的运行实践证明，导热油在高温状态下长期使用，由于热裂介及氧化等原因，如设计和使用不当，其物化性能及技术指标必然迅速发生变化，当导热油下列四项指标达到一定数值时，应予以报废：

（1）酸值（mg KOH/g）达到0.5时（按现行国家标准《石油产品酸值测定法》GB/T 264的方法测定）；

（2）黏度变化达15%时（按现行国家标准《石油产品运动粘度测定法和动力粘度计算法》GB 265的方法测定）；

（3）闪点变化达20%时（按现行国家标准《石油产品闪点与燃点测定法（开口杯法）》GB/T 267的方法测定）；

（4）残炭达1.5%时（按现行国家标准《石油产品残炭测定法

(康氏法)》GB 268 的方法测定)。

因此,在设计中合理选用导热油,设计合理的导热油供热系统,防止导热油超温运行及氧化,对延长导热油使用寿命,保障安全生产,节省费用均有积极意义。

9.5 燃 气

9.5.1 本条是毛纺织工厂使用燃气应遵循的规定。毛纺织工厂烧毛等工序需使用煤气、天然气时,在设计时应符合现行国家标准《城镇燃气设计规范》GB 50028 及《工业企业煤气安全规程》GB 6222 的有关规定。

9.7 制 冷

9.7.2 制冷机的选择首先应根据工厂建设规模、使用特征、空气调节冷负荷,同时结合项目所在地供电、供热、能源价格、地下水源情况和环境保护要求等因素确定冷源或冷水机组的选型和台数。地下水资源充足的地区可选用地下水作冷源,并应采取回灌措施。对于中西部地区,可利用室外干燥空气做冷源,进行蒸发冷却式冷水机组供冷,最大限度地增大天然冷源的应用,减少人工冷源的应用。

9.7.3 机组台数应按工程大小、负荷运行规律确定。冷水机组选型不仅要考虑满负荷的 COP 值,还应考虑部分负荷的 COP 值来衡量全年综合效益。

10 仓 储

10.1 一 般 规 定

10.1.1 仓库面积取决于存储量和存储周期,存储周期又因建厂地区原材料和各类物资的供应情况不同而存在较大差异。规范规定的存储周期为一般采用的存储周期,设计时如果没有特殊要求,宜采用此存储周期和计算方法确定仓库面积。

10.1.2 本条规定是为了尽可能设计多层仓库,提高土地利用率。

10.1.3 各类仓库的设置应符合国家现行有关安全防火规范的有关规定。

10.2 原料库、成品库

10.2.1 原料库、成品库的建筑面积可根据储存周期按表4计算。

表 4 单位面积储存能力(kg/m^2)

名　　称	储 存 能 力
松包原毛	350～650
紧包原毛	650～1000
选后毛	300～500
洗净毛、炭化毛	200～400
散装毛条	200～300
打包毛条	550～850
紧包化纤条	550～850
紧包化纤短纤	650～950
呢绒	360～450

注:表中单位面积储存能力未考虑面积利用系数(可取0.5～0.6)。

10.5 机物料、机配件库

10.5.2 一般情况下,机物料库可根据工厂规模按 200m² ~ 600m² 考虑,机配件库可根据工厂规模按 150m² ~ 400m² 考虑。

11 职业安全卫生

11.0.1 职业安全卫生设计是为了保障劳动者在工作场所的安全和卫生。"以人为本","安全生产、预防为主"是《中华人民共和国安全生产法》的指导方针,"预防为主、防治结合"是《中华人民共和国职业病防治法》的指导方针。按我国现行行政管理体制,职业安全卫生一般分为职业安全和职业卫生两部分。

11.0.2 毛纺织工厂生产过程中存在着危险因素和有害因素。所谓危险因素是指能对人造成伤亡或对物造成突发性损坏的因素,如火灾、爆炸、雷击、触电、中毒、窒息和机械性伤害等。有害因素是指能影响人的身心健康,导致疾病(含职业病),或对物造成慢性损坏的因素,如有毒有害物质、高温高湿、噪声、辐射和不良采光照明等。设计时应对这些因素进行收集分类,原始资料应充分、可靠、有定性和定量的分析,并对危险和有害因素采取有效的治理和防范措施。

11.0.4 有些羊毛可能混有病羊身上剪下的羊毛,有可能带有炭疽杆菌和布氏杆菌,这是两种比较严重的传染病菌,羊毛中还含有其他病菌和尘土,有可能引起过敏性疾病,因此,要重视防治。

羊毛的消毒措施一般有下列几类:①钴60γ射线照射羊毛8min,装袋后贮存3个月～6个月后使用,这种方法可杀灭布氏杆菌;②气蒸15min;③甲醛溶液处理;④在密闭室内或塑料薄膜密封包裹中喷环氧乙烷消毒液,可杀灭炭疽杆菌。

当采用钴60辐射法消毒时,对钴60产生的γ射线的防护应按现行国家标准《电离辐射防护与辐射源安全基本标准》GB 18871的有关规定执行。

11.0.5、11.0.6 羊毛有特殊的气味,原毛中含有砂土、粪杂甚至石灰,拣选抖动时容易飞扬。为了保证尘土不影响洗毛车间的工作,应将尘土浓度大的选毛车间和洗毛车间的打土间分隔开,并在选毛车间和洗毛车间的打土间设置除尘装置。选毛工作台是操作工的工作场所,应配备有效的吸尘装置。按一般经验,每台选毛工作台的风量约为 $1000m^3/h\sim1500m^3/h$,台面上的风速为 $2.0m/s$ 以上。在此条件下,选毛车间空气中的含尘浓度约为 $5mg/m^3\sim9mg/m^3$。

11.0.7 本条采取的除尘措施是为了减少尘土、毛尘停留在工作场所,保证车间内毛尘的含量小于 $8mg/m^3$。

11.0.8 修焊针室内进行修补时使用铅焊,产生铅烟,对人体危害较大,按现行国家职业卫生标准《工作场所有害因素职业接触限值 第1部分:化学有害因素》GBZ 2.1 的规定,空气中铅烟的时间加权平均容许浓度为 $0.03mg/m^3$。

11.0.9 毛纺织工厂中的梳毛机、细纱机、织布机以及除尘、空压机等设备运行时产生的噪声超过现行国家职业卫生标准《工作场所有害因素职业接触限值 第2部分:物理因素》GBZ 2.2 规定的 85dB(A)时,应采取有效的降噪措施。

11.0.11 在毛纺织工厂中的选毛车间和洗毛车间的打土间内,由操作人员处理羊毛原料,由于毛尘含量高并有可能带有病菌,按现行国家职业卫生标准《工业企业设计卫生标准》GBZ 1 的规定,车间卫生特征分级应为 1 级,车间内应设浴室,还规定女浴室和卫生特征分级为 1 级、2 级的车间不得设浴池。